Olho mágico

José Carlos De Lucca

Olho Mágico
Copyright by © Petit Editora e Distribuidora Ltda., 2006-2022
12-10-22-2.000-22.400

Coordenação editorial: **Ronaldo A. Sperdutti**
Capa e diagramação: **Ricardo Brito**
Revisão: **Maria Aiko Nishijima**
Impressão: **Assahi Gráfica**

Dados Internacionais de Catalogação na Publicação (CIP)
(Câmara Brasileira do Livro, SP, Brasil)

De Lucca, José Carlos.
　　Olho mágico / José Carlos De Lucca. – São Paulo : Petit, 2006.

　　ISBN 978-85-7253-143-6

　　1. Auto-ajuda – Técnicas 2. Auto-avaliação 3. Espiritismo
4. Meditações 5. Perfeição 6. Vida espiritual I. Título.

06-4930　　　　　　　　　　　　　　　　　　　　　　　CDD: 133.901

Índices para catálogo sistemático:
1. Mudança pessoal : Doutrina espírita　133.901
2. Renovação interior : Doutrina espírita　133.901

Direitos autorais reservados.
É proibida a reprodução total ou parcial, de qualquer forma
ou por qualquer meio, salvo com autorização da Editora.
(Lei nº 9.610, de 19 de fevereiro de 1998.)
Traduções somente com autorização por escrito da Editora.

Impresso no Brasil.

Prezado leitor(a),

Caso encontre neste livro alguma parte que acredita que vai interessar ou mesmo ajudar outras pessoas e decida distribuí-la por meio da internet ou outro meio, nunca deixe de mencionar a fonte, pois assim estará preservando os direitos do autor e conseqüentemente contribuindo para uma ótima divulgação do livro.

Olho mágico

José Carlos De Lucca

Av. Porto Ferreira, 1031 – Parque Iracema
CEP 15809-020 – Catanduva-SP
17 3531.4444

www.petit.com.br | petit@petit.com.br
www.boanova.net | boanova@boanova.net

Outros livros do autor José Carlos De Lucca:
- *Sem medo de ser feliz*
- *Justiça além da vida*
- *Para o dia nascer feliz*
- *Com os olhos do coração*

Veja mais informações sobre o autor no *site*:
www.jcdelucca.com.br

O autor cedeu os direitos autorais desta obra ao Grupo Espírita Esperança

A **Chico Xavier**,
que me abriu os olhos às realidades do espírito.

Sumário

Prefácio, 9

1 Olho mágico, 11

2 Vença o desânimo, 21

3 Cuidado com as críticas, 29

4 Pare de se culpar, 36

5 Olhe-se com amor, 44

6 Brincar de viver, 51

7 Na hora da enfermidade, 58

8 Olhe-se como espírito, 65

9 Olhe o sofrimento com outras lentes, 72

10 Comprometa-se com seus objetivos, 79

11 Eu mereço, eu sou capaz!, 84

12 Quem sabe faz a hora..., 94

13 As dores da alma, 103

14 Para ficar bem, 109

15 Por que porta você quer entrar?, 116

16 As pedras do caminho, 123

17 Faxina mental, 131

18 Comece de onde você está, 140

Referências bibliográficas, 148

Prefácio

Caro leitor, recomendo,
Com muita satisfação,
A leitura deste livro
Que nasce à luz da oração!

Não o leia com os olhos,
Pois que embaçados estão,
Faz-se mister conhecê-lo
Com olhos do coração!

São lindos os ensinamentos
Que o irmão De Lucca oferece,
Quais sementes de poesia
Umedecidas de prece!

Olho mágico apresenta
O caminho mais seguro,
Quem por ele espia a estrada,
Jamais andará no escuro.

Receba, leitor amigo,
O abraço em tom de cantiga,
Abra os olhos, siga em frente,
Quem lhes falou foi Formiga!

EURÍCLEDES FORMIGA[*]

---

[*] Mensagem psicografada pelo médium Miguel Vinícius Guarnieri de Almeida Ferreira, do Centro Espírita Perseverança, em 29/5/2006.

1

Olho mágico

"**Fernando era um pai de família.** Um dia, quando voltava do trabalho dirigindo num trânsito bastante complicado, deparou-se com um senhor que dirigia apressadamente: vinha 'cortando' todo mundo e, quando se aproximou do carro de Fernando, deu-lhe uma tremenda fechada, já que precisava atravessar para a outra pista. Naquela hora, a vontade de Fernando foi xingá-lo e impedir sua passagem. Mas logo pensou: 'Coitado! Se ele está tão nervoso e apressado... vai ver que está com um problema sério e precisando chegar logo ao seu destino'. Pensando assim, foi diminuindo a marcha e deixou-o passar.

Chegando em casa, Fernando recebeu a notícia que seu filho de três anos havia sofrido um grave acidente e fora levado ao hospital pela sua esposa. Imediatamente seguiu para lá e, quando chegou, sua esposa veio a seu encontro e o tranqüilizou dizendo: 'Graças a Deus está tudo bem, pois o médico chegou a tempo para socorrer nosso filho. Ele já está fora de perigo'.

Fernando, aliviado, pediu que sua esposa o levasse até o médico para agradecer-lhe. Qual não foi sua surpresa quando percebeu que o médico era aquele senhor apressado para o qual ele havia dado passagem!"[1].

Desde pequeno, os mágicos me fascinam. Ainda menino, fui a um show de habilidosos ilusionistas e voltei extasiado. Como era possível transformar um lenço colorido num lindo pombo branco? E o coelho, como é que o bichinho surgia inesperadamente na cartola? E as cartas, aparecendo e desaparecendo bem diante do nosso nariz? Vim mais tarde a descobrir, não sem alguma dose de tristeza, que tudo não passava de ilusões forjadas por mãos habilidosas. Mesmo assim, continuo gostando de mágicos porque, no fundo, eles mostram que é possível perceber a realidade sob novos prismas, e isso muitas vezes é a chave para a resolução de muitos dos nossos problemas. Acredito que somos dotados de uma incrível habilidade interior de transformar nossa vida num piscar de olhos, como num simples passe de mágica. E isso ocorre quando conseguimos mudar nosso olhar sobre a realidade que nos cerca.

Tenho visto pessoas provocarem mudanças tão impressionantes em sua vida que me pareceram tocadas por algo mágico, milagroso. Deparei-me com enfermos condenados à morte que recuperaram a saúde sem nenhuma explicação científica. Conheci empresários falidos que volveram à atividade empresarial com muito sucesso. Observei casais à beira da separação conjugal que conseguiram reencontrar o amor dos primeiros tempos. Encontrei os que estavam num beco sem saída e que hoje têm abertas todas as portas do mundo. Que poder milagroso tocou essas pessoas? Não tenho dúvidas de que foram ajudadas pelas forças espirituais superiores, mas creio que a bênção espiritual foi apenas conseqüência de uma atitude anterior capaz de provocar a resposta de Deus para seus problemas. Afinal de contas, Jesus afirmou que a porta somente se abre depois que alguém bate.

Procurei estudar essas pessoas, analisei-as ao longo de mais de dez anos à luz do Espiritismo e pude concluir que não foi a realidade que mudou para que elas mudassem. Foram elas que mudaram primeiramente e a partir de então toda a realidade exterior se modificou da noite para o dia. Quando elas mudaram a atitude interior, a realidade se alterou num instante. Problemas que pareciam insolúveis foram resolvidos em pouco tempo. Notei que essas grandes transformações principiaram pela maneira como as pessoas olhavam para seus problemas.

Era a forma de encarar o obstáculo que determinava a possibilidade de êxito ou de fracasso.

As páginas deste livro procuram ajustar nossa visão espiritual. Tentarei, com a sua cooperação, limpar as lentes pelas quais enxerga a vida; é provável que elas estejam embaçadas. Espero ser capaz de ajudá-lo a enxergar além das aparências e a descobrir gemas de rara beleza onde até agora você tem visto pedras sem nenhum valor. Esse modo de ver, no entanto, se não tem feição de milagre, tem o poder de transformar radicalmente a vida de uma pessoa. Como num passe de mágica, tudo se altera, pois o destino caminha para onde se inclina nosso olhar. Como na história narrada no início deste capítulo, Fernando teve um olhar mágico, decisivo para a sorte do próprio filho. Confesso que não é um olhar comum. Não estamos habituados a ele. O corriqueiro é enxergar a vida com olhos pequenos e maldosos, quando não, com lentes escuras e amargas. O primeiro impulso de Fernando foi um olhar agressivo, vingativo. Mal podia imaginar que sua ira poderia ser uma ameaça ao próprio filho. Mas teve tempo de alterar a visão: era possível que o motorista imprudente estivesse com algum problema sério. Seria melhor deixá-lo seguir em paz; mudou o ponto de vista e, sem o saber, salvou a vida do próprio filho.

O olhar que ilumina nossa vida

Jesus de Nazaré, utilizando uma linguagem simbólica, fala da importância do nosso olhar:

> "Os olhos são como uma luz para o corpo: se os seus olhos forem bons, o corpo todo estará na luz. Mas se os seus olhos forem maus, o seu corpo todo ficará na escuridão. Assim, se a luz que você tem se transformar em escuridão, como será terrível essa escuridão!"[2]

Afirma o refrão popular que "os olhos são o espelho da alma". Vivemos de acordo com a direção que damos ao nosso olhar. Cada um vê o mundo à sua volta segundo seu ponto de vista. As "verdades" que defendemos com tanto ardor não passam de um ponto de vista. Com as tintas que temos por dentro, pintamos o mundo lá fora. A paisagem externa é vista pelas janelas da alma. Se a vidraça está limpa, há um sol irradiando alegria e esperança em nossa vida. Se estiver embaçada, nuvens sombrias trazem tristeza e aflição. Tudo é uma questão de perspectiva, tudo se resume ao modo pelo qual enxergamos as coisas. Um copo com água pela metade pode ser um copo meio cheio ou um copo meio vazio. Depende de como se olha, isto é, depende da inclinação mental do observador. Se eu tiver propensão ao otimismo, por exemplo, um dia chuvoso pode ser visto como um dia abençoado. Se, todavia, meu estado interior tender ao pessimismo, um dia de sol pode ser percebido como um dia triste. Afirmou William Blake:

> "A árvore que o sábio vê não é a mesma árvore que o tolo vê"[3].

É fato. Confesso que sou um tolo quando o assunto é pintura artística. Muitas telas de artistas renomados não passam para mim de rabiscos incompreensíveis. Para os que têm olhos de ver, porém, são verdadeiras obras de arte.

Jesus afirma que os olhos maus geram escuridão. Andaremos em trevas quando nossos olhos forem:

- olhos de crítica
- olhos de inveja
- olhos de malícia
- olhos de vingança
- olhos de medo
- olhos de ciúme
- olhos de rancor
- olhos de maldade
- olhos de preocupação
- olhos de mágoa

Por que Jesus afirmou que os olhos maus geram escuridão? Tento responder. Tudo aquilo que se focaliza com intensidade ou constância imprime-se na mente do observador e passa a ser parte de sua vida. A maldade que há em meu olhar montará o cenário triste e aflitivo em que minha vida se desenhará logo mais. Seremos impulsionados pelas forças negativas acumuladas em cada olhar maldoso que projetamos. O Espírito Irmão José assim também pensa:

"Se os teus olhos se comprazerem na contemplação do mal, é óbvio que tão-somente divisarás trevas que se adensam à tua volta"[4].

São as trevas a que Jesus se referiu. E trevas que nós mesmos criamos a partir das inclinações mentais menos felizes.

O olhar maldoso fixa em quem olha a própria maldade.
O olhar vingativo prepara a vingança para si mesmo.
O olhar medroso gera pânico em quem assim acostumou-se a enxergar.
O olhar de crítica formata as condições propícias ao cometimento do erro que tanto combatemos.
O olhar invejoso empobrece a vida de quem tem a cobiça na alma.
O olhar doentio é terreno fértil para vírus e bactérias.
O olhar agressivo fomenta violência para si próprio.
O olhar preocupado é investimento nas situações que não queremos experimentar.

O escritor espírita Rodolfo Calligaris pondera que esse olhar doentio nos mantém ligados a espíritos sofredores e perversos, de maneira a recebermos influências de energias negativas e tóxicas que acarretarão prejuízos à nossa vida. Vejamos a explicação:

"Vendo unicamente o mal onde quer que pousem suas vistas, esperando constantemente o pior de qualquer evento, essas pessoas mantêm-se em sintonia com o astral inferior, envolvem-se em trevas cada vez mais densas, caem num estado de alma mórbido e desgraçado, acabando, geralmente, em deplorável ruína. Tornam-se, assim, vítimas daquilo que admitem, criam e nutrem persistentemente em si mesmas"[5].

Se desejarmos dias melhores em nossa vida, e tenho certeza de que é isso o que você procura, será preciso corrigir a visão espiritual. Sem que tenhamos bons olhos, a felicidade não nos alcançará porque não a alcançamos com as vistas impregnadas de maldade. É da lei espiritual: "Buscai e achareis"[6]. O preceito não faz diferença quanto ao objeto da nossa busca. Seja lá o que procurarmos, haveremos de encontrar e passaremos então a sofrer a influência, positiva ou negativa, do mundo que criamos com nosso modo de ver. Se sairmos de casa com o desejo de brigar ou discutir, vamos encontrar alguém disposto a nos atender. Se quisermos falar mal da vida alheia, companhia não há de nos faltar. Se os nossos olhos procurarem defeitos nas pessoas, vamos encontrá-los aos montes. Um amigo, estudioso da língua, lia meus livros procurando erros de ortografia. E os encontrou, é claro. Pena não ter notado algumas coisas boas que os livros ofereciam. Mas não era essa a intenção ao se debruçar sobre as singelas linhas que escrevo. Mas no que consiste a habilidade de enxergar com bondade?

> Teremos bons olhos quando aprendermos a ver o bem em todos e em toda parte.

Só assim o bem surgirá em nossa vida. Só encontro o bem quando o procuro por meio de palavras, pensamentos e atitudes. Deveremos começar a ter olhos bons para nós mesmos, porque muitas vezes nos vemos como pessoas fracas, incompetentes, feias, pequenas demais para vencer os desafios do caminho. Olhamos em demasia para nossos defeitos e não focalizamos as virtudes e potenciais de que dispomos. É impressionante constatar como nos olhamos com maldade. Por isso, muitas vezes a vida não deslancha, porque esse olhar negativo sobre nós mesmos só pode criar uma realidade negativa. É deveras expressivo o número de pessoas com imagens distorcidas a respeito de si próprias; enxergam-se menores do que realmente são, e essa visão menor cria um mundo menor, um mundo pequeno de oportunidades. Mas é apenas o mundo que criamos a partir de visões imprecisas, mas que pode ser mudado no instante em que alteramos a nossa percepção.

Podemos aprender com o olhar de Jesus

Jesus tem bons olhos para conosco. O Divino Amigo nos enxerga como *deuses*[7], embora insistamos em nos ver como escravos. O Mestre nos percebe como *luz do mundo*[8], contudo preferimos viver tal qual pequenina chama bruxuleante. O Cristo se refere a nós como *sal da terra*[9], todavia tornamos nossa vida insípida, sem nenhum tempero. Se nos víssemos com esses olhos mágicos de Jesus, certamente estaríamos vivendo com muito mais alegria e realização.

Os bons olhos também se projetam sobre as pessoas e situações. Não me interessa ver maldade nas pessoas, porque isso me torna mal e não me ajuda a ter um bom relacionamento com esse alguém. Procuro lidar com o melhor que a pessoa tem a oferecer, e isso me traz alegria no peito, além de facilitar a comunicação que preciso manter com ela. Valorizo os aspectos positivos que a pessoa tem, procuro-os avidamente, e mantenho o relacionamento dentro do que há de melhor nela. Quando desperto o bem que há dentro dela mesma, ela fatalmente tentará me responder com a mesma moeda. A resposta torna-se compatível com o estímulo.

Pelo mesmo princípio, quando me deparo com obstáculos, procuro enxergá-los como oportunidades de crescimento. Quando a doença se instala, percebo que chegou a hora de aprimorar a saúde. Nada de fazer da enfermidade uma sentença de morte, mas sim vê-la como possibilidade de melhoria da qualidade de vida. Quando sou despedido do emprego, vejo aproximar-se a ocasião do crescimento profissional. Não me vejo como derrotado, mas como alguém que estará melhor se qualificando para novas possibilidades de trabalho. Esse olhar mágico é que fará toda a diferença, pois os olhos bons acendem a luz que ilumina a estrada do nosso êxito. Felicidade, em última análise, é a capacidade que desenvolvemos de ver as coisas boas da vida, a começar por nós mesmos. Que as páginas deste livro sejam-lhe como um colírio que, ao pingar em suas vistas, abram-lhe a dimensão de uma vida feliz que está muito próxima de você.

> **"Diante do mal, santifica teus olhos."**
> André Luiz[10]

Vença o desânimo

Numa manhã ensolarada, quando me dirigia ao trabalho, tive o ímpeto de analisar o semblante das pessoas que caminhavam pela rua. Depois de uns dez minutos de rigorosa observação, constatei muitos olhares tristes, desanimados, de pessoas cujo corpo se arrastava pelas calçadas. Quase todos caminhavam indiferentes aos raios solares que, em vão, procuravam dissolver seus pensamentos negativos. Poucos se deram conta de que o ar puro da manhã era um convite dos céus à renovação das próprias atitudes. Dei razão a André Luiz ao afirmar que o desalento emite *raios congelantes*[11]. Assim me parecia grande parte das pessoas avistadas naquela manhã: frias, endurecidas, paralisadas, sem ânimo para viver.

É que nos momentos em que atravessamos o mar das dificuldades, temos a impressão de que nadamos contra a correnteza. Um sentimento de impotência pode tomar conta de nós. Sentimo-nos fracos, pequenos demais para vencer os obstáculos que a vida nos trouxe. Tudo isso tende a nos levar a um erro de leitura da situação à nossa volta, a dificultar as soluções que precisamos encontrar. Explico. Nas batalhas da vida, algo curioso sucede conosco: ampliamos o tamanho do problema e diminuímos nossa capacidade de solucioná-lo. O problema é visto com proporções avantajadas e nos vemos como formiguinhas indefesas diante de um monstro invencível.

O que vejo e em que acredito criam a minha realidade. Por exemplo: se eu chegar à minha mesa de trabalho e começar a reclamar da quantidade de serviço que me aguarda, da excessiva carga de tarefas que me é imposta, do esforço que terei de empregar para finalizá-las, das dificuldades que encontrarei para solucionar os obstáculos que me esperam, já me sentirei cansado antes mesmo de iniciar a jornada de trabalho, demonstrarei irritação e falta de motivação, tudo a tornar meu ofício um martírio. Sem falar nas energias espirituais negativas que criei com meu modo de ver a situação, de modo a me tornar um peso no ambiente de trabalho, uma nota dissonante, repulsiva, alguém com quem as pessoas evitarão contato, alguém que provavelmente figurará na primeira lista de corte de funcionários. O doutor Núbor Facure, neurologista e professor da Universidade de Campinas, explica esse fenômeno:

> "Psiquicamente, na medida em que expressamos mentalmente uma vontade, um desejo, uma idéia, uma opinião, um objetivo qualquer, passamos a ser carregadores ambulantes de vontades com formas, de desejos com moldes, de idéias com figuras vivas que as

representam, de objetivos e opiniões que se exteriorizam com cenas que materializam em torno de nós os nossos pensamentos que emitimos"[12].

Os benefícios de um olhar otimista

Então, não seria o caso de enxergarmos a situação com outros olhos? Um olhar positivo? Um modo otimista de ver a situação? Porque esse olhar positivo também criará uma realidade positiva. Aproveitando o exemplo acima narrado, se eu tiver um olhar positivo para o meu trabalho, se enxergá-lo como uma oportunidade de progresso pessoal, uma forma de contribuir para o bem-estar social, de ver que tenho condições de superar os naturais obstáculos que ele apresenta, naturalmente terei boa vontade com a tarefa, criatividade, tudo ficará mais fácil, leve, simples, possibilitando-me apresentar um bom serviço, um bom produto, que me garantirão sucesso profissional. Um olhar positivo tem o efeito de diminuir a importância do problema e de aumentar a nossa confiança em poder solucioná-lo.

Um ensinamento espiritual ajuda muito a resgatar a nossa confiança:

"Quando o servidor está pronto, o serviço aparece"[13].

Ora, se a dificuldade bateu à sua porta, é porque você está em condições de solucioná-la, chegou a hora da promoção, a hora de descobrir talentos enterrados, habilidades desconhecidas. Será preciso trocar as lentes pelas quais enxergamos os problemas que nos cercam; amiúde, elas ampliam o tamanho do problema e além disso diminuem a visão da força que possuímos para vencer as dificuldades. Vamos inverter esse processo?

Evitemos dramatizar

Para tanto, o primeiro passo será evitar as dramatizações, tão prejudiciais, pois elas distorcem a realidade, tornando-a exageradamente sombria. Temos uma tendência a exagerar o tamanho do problema, talvez para justificar a nossa falta de disposição em enfrentar a dificuldade. Entretanto, quanto mais comentamos a complexidade do problema, mais vigorosos se tornam os laços que nos prendem a ele e mais forte ele se torna.

Observo que pessoas felizes são aquelas que superam suas dificuldades usando uma boa dose de racionalidade. Se descobrir que estou com diabetes, por exemplo, de nada adianta chorar diante de uma mesa de doces. Só piorará a situação. Uso a razão para agir como a situação exige, sem fazer dramas. Pessoas felizes vêem as coisas com uma "cabeça boa"; para elas, tudo é muito simples de ser resolvido; onde muitos enxergam dificuldades, elas logo encontram soluções. Por vezes, estamos com uma dificuldade que nos parece imensa; há dias procuramos uma saída e não vemos luz no fim do túnel. De repente, conversamos com um amigo e ele, num piscar de olhos, nos diz como sair da situação. A solução estava lá, bem debaixo do nosso nariz, porém a mente complicada não conseguia enxergá-la. Da próxima vez, olhemos para o problema sem dramatizá-lo, sem aumentar sua dimensão, e vamos dizer que, com a ajuda de Deus, tudo será facilmente resolvido.

O próximo passo será readquirir, sem demora, a confiança em si mesmo. Tenha fé em suas próprias capacidades, pois "a fé robusta", segundo Allan Kardec, confere "a perseverança, a energia e os recursos que fazem vencer os obstáculos"[14]. Note bem os benefícios que a fé em si mesma proporciona:

PERSEVERANÇA

O desânimo tem jogado muitas pessoas na vala dos derrotados. A fé vigorosa, robusta, como lembrou Kardec, confere-nos perseverança, ou seja, vontade de prosseguir, desejo firme e constante de lutar por nossos sonhos. Os vitoriosos não são os que não experimentaram obstáculos, são os que persistiram em suas metas apesar das dificuldades. Vejamos alguns exemplos[15]:

- Em 1962, quatro jovens músicos nervosos apresentaram-se pela primeira vez para os executivos da Gravadora Decca. Os executivos não ficaram impressionados. Quando rejeitou esse grupo de *rock* inglês chamado The Beatles, um executivo disse: "Não gostamos do seu som. Grupos de guitarristas estão fora de moda".
- Depois de uma perda progressiva de sua audição, com 46 anos, o compositor alemão Ludwig van Beethoven

ficara totalmente surdo. Apesar disso, compôs a sua melhor música, inclusive cinco sinfonias, durante seus últimos anos de vida.

- ◆ Quando Alexander Graham Bell inventou o telefone, em 1876, não impressionou muito possíveis patrocinadores. Depois de dar um telefonema para demonstração, o presidente Rutherford Hayes disse: "É uma invenção surpreendente, mas quem iria querer usar um [aparelho] desses?"

ENERGIA

Os descrentes, em regra, são apáticos, isto é, sem energia, desanimados. A fé em si mesmo mobiliza recursos incalculáveis e faz brotar das entranhas do nosso ser uma força capaz de nos fazer transpor quaisquer obstáculos. Na cidade de Guarulhos, Estado de São Paulo, um menino de nove anos caiu num poço de 20 metros de profundidade e ali permaneceu por seis dias. Eu, que não consigo pular sequer uma refeição, fiquei impressionado ao saber que o garoto ficou todo o tempo sem se alimentar, só bebia água de chuva. Mas ele tinha fé de que sairia vivo daquele inóspito lugar. E saiu. Os bombeiros já haviam abandonado as buscas, porém o garoto foi encontrado por uma tia, que, no dia de Natal, acordara com a certeza de que acharia o menino. Ela convocou a família e os amigos, empreendendo novas buscas. Horas depois, num terreno distante, a tia gritou pelo nome do sobrinho, que respondeu com um fiapo de voz. Ele estava salvo. Salvo pela própria fé, pois afirmou que jamais houvera pensado em ficar eternamente preso a um buraco. Salvo pela fé da tia que jamais desistiu de procurá-lo quando tudo parecia perdido. Quantos afirmam, após superarem crises das mais variadas, que não supunham ter a força que tiveram na transposição de seus problemas. Sentiram-se, depois, mais fortes, descobriram o deus interior que se escondia em seu espírito. Essa força é acionada pela fé.

Quando olhamos para um problema e julgamos que sempre haverá saída, criamos condições espirituais favoráveis para que as soluções apareçam. Mas se acreditarmos que não temos saída...

RECURSOS NECESSÁRIOS

Allan Kardec ainda afirma que a fé engendra os recursos necessários para superarmos os problemas. Foi a fé que sustentou fisicamente aquela criança, naturalmente mais frágil do que o adulto, durante seis dias sem se alimentar. Foi a fé que lhe deu coragem para vencer o medo da morte que rondava sua vida. A mesma fé alimentou a tia quando acordou naquele domingo com a certeza de que encontraria o menino. Assim é possível compreender o que afirmou Jesus:

"Tudo é possível ao que crê"[16].

O homem se torna aquilo que acredita ser. Quando você se acredita fraco, faltam-lhe as energias necessárias para o êxito. Se você se julga incapaz, sua mente inconsciente não lhe traz a sabedoria para enxergar a solução para os problemas. Mas quando você se vê corajoso, a energia da coragem o domina e o impele a quebrar as barreiras que o aprisionam às dificuldades. Você agirá de acordo com a imagem que faz de si mesmo. Como será que você se olha?

Gostaria que pensasse que você não é um projeto, já é uma realidade. Não é uma promessa, já é uma certeza. Ainda não chegou ao fim, apenas está se construindo a cada dia. Acreditar em si mesmo, porque crer em si é crer em Deus, é a chave que abre a porta da solução dos problemas e joga o desânimo na lata do lixo. Quando você descrê de si mesmo, seus caminhos se fecham, sua criatividade desaparece, sua luz se apaga, sua energia enfraquece. Mas quando tem fé em si mesmo, uma luz interior se acende e seus caminhos são iluminados pela certeza da vitória. Portanto, não dê ouvidos às vozes do desânimo, ore mais a Deus, entregue-se a Ele, descubra-O dentro de si mesmo e sinta sua força voltar, seu ânimo revigorar e a coragem vibrar no peito. Basta querer. E você quer?

> "O maior pecado de ser humano é ignorar suas forças interiores, seus poderes criadores e sua herança divina. Estuda-te e vê quanta coisa és capaz de fazer."
>
> O. S. Marden

Cuidado com as críticas

Criticar é um dos comportamentos mais perigosos quando se aspira ao desenvolvimento espiritual. Não apenas a crítica que se recebe, mas também a que se faz. Tratemos, agora, dessa última. Não quero me referir, evidentemente, à censura feita por aquele que apenas deseja reprimir o mal, como, por exemplo, a conduta de um pai que corrige o filho indisciplinado ou a do policial que prende em flagrante o criminoso. Tais atos são louváveis e necessários ao progresso social. O que deve ser motivo da nossa atenção diz respeito às críticas que vão além da análise racional da questão, aquelas carregadas de juízos depreciativos, maldosos, em que denegrimos pessoas e instituições, sem nenhum propósito edificante.

Esquecemos a advertência feita por Fernando Pessoa:

"Não digas mal de ninguém,
Que é de ti que dizes mal.

Quando dizes mal de alguém
Tudo no mundo é igual"[17].

O poeta é claro: o mal que vejo no outro é o mesmo mal que mora dentro de mim. Por isso, quem critica, quem julga, confessa as próprias faltas. O Espírito Joanna de Ângelis, por intermédio da mediunidade de Divaldo Pereira Franco, esclarece o mecanismo que a psicologia denomina de projeção:

"Toda vez que alguém combate com exagerada veemência determinados traços do caráter de alguém, projeta-se nele, transferindo do eu, que o ego não deseja reconhecer como deficiente, a qualidade negativa que lhe é peculiar. Torna a sua vítima o espelho no qual se reflete inconscientemente. Há uma necessidade de combater nos outros o que é desagradável em si"[18].

Jesus já havia identificado esses olhos maldosos:

"E por que reparas tu no argueiro que está no olho do teu irmão, e não vês a trave que está no teu olho?"[19]

Antes de julgar, não seria melhor verificar se, da nossa parte, também não estaríamos agindo do mesmo modo que a pessoa-alvo da nossa crítica? Com freqüência, as pessoas me procuram com queixas sobre algum familiar. Indago-lhes: "O que mais o irrita no comportamento de seu parente?" As respostas são variadas:

- O marido é autoritário.
- O filho é rebelde.
- A esposa é ingrata.
- A mãe é cobradora.
- O pai é ausente.

Não demora muito a conversa para eu perceber que, em algum nível de sua vida, o queixoso também age da mesma maneira que o familiar criticado. Um é espelho do outro, por isso se atritam com tanta freqüência. No relacionamento familiar, isso é mais comum do que se imagina. Portanto, em vez de criticar a quem quer que seja, façamos uma análise de nós mesmos e verifiquemos se também não carregamos a mesma mancha escura que identificamos no próximo, e assim silenciemos toda e qualquer acusação infeliz. Ter misericórdia pelo próximo começa no instante em que reconhecemos nossas próprias mazelas, as mesmas que nos fazem cair de joelhos perante Deus clamando por perdão. Quem não é indulgente com as faltas alheias, também não pode reclamar perdão para seus erros, pois "com a mesma medida em que medirmos, seremos medidos"[20]. Por tal razão, afirmou o Espírito Paulo, o Apóstolo:

"Perdoar aos inimigos é pedir perdão para si mesmo"[21].

Quando somos vítimas da crítica

Agora trato da questão vista de outro prisma: quando nós somos os destinatários das críticas. Em regra, sofremos muito quando a maledicência nos ataca, sobretudo quando somos depreciados com as cores de censura, deboche ou calúnia. Amiúde, somos vulneráveis às ofensas, mesmo quando elas tenham algum fundo de verdade. Quando criticados, nossa auto-estima pode diminuir sensivelmente, levando-nos a estados de abatimento que precisam ser superados o mais rápido possível. A solução não será evitar as críticas, elas são inevitáveis porque não temos controle sobre as pessoas. O caminho será saber conviver com elas, extraindo ouro da experiência.

Na hora em que nos sentirmos arrasados com uma ofensa, ajuda muito examinar racionalmente as acusações que nos endereçaram. Tenhamos controle emocional nessa hora para não nos deixarmos perturbar. Vejamos, com isenção, se as acusações têm algum fundamento, ainda que mínimo. Se a resposta for negativa, isto é, se as críticas forem totalmente infundadas, não há motivos para ficarmos intranqüilos, já que não faz sentido perder a paz por conta de leviandades. Não se valoriza aquilo que sabidamente é falso. Se estivermos com a consciência tranqüila, e isso é o que importa e não o que o outro pensa a nosso respeito, prossigamos, serenos, a fim de que a mágoa não nos impeça os passos adiante.

Cada um de nós vê com seus próprios olhos, com seus próprios interesses e não temos como controlar ou mesmo impedir os julgamentos que emitem sobre nós. Contudo, o que podemos fazer é não nos abalar por acusações infundadas.

Temos o poder de decidir como vamos nos sentir em razão de tudo o que nos ocorre.

A isso eu chamo "liberdade interior", isto é, o poder de escolher o sentimento que terei diante do que me acontece. Como escolho a roupa no armário de acordo com o clima, com o ambiente em que vou estar, também posso escolher a roupa emocional que vou vestir diante daqueles que injustamente me acusam. Se abrir mão da minha liberdade, ficarei escravo da mágoa e do ressentimento, e minha vida se tornará um pesadelo. A pessoa chega, lança a maldade e vai embora, esquece-se até da calúnia que nos atirou no rosto. E nós ficamos amargurados, às vezes por anos a fio, sendo que o agressor nem mais se lembra do fato. Poderia ser diferente. Devo dizer: sou eu quem irá conviver comigo todos os minutos da minha vida, por isso não vou fazer da minha vida um mar de lama por causa dos outros. Eu sou o responsável pelo que sinto. Eu decido.

Aprenda a relativizar as ocorrências

Acompanhando pacientes terminais, tenho constatado que muitos alimentaram ressentimentos por vários anos, o que tornou suas vidas tristes e sombrias. Diante da iminência da morte, momento em que o absoluto se torna relativo, verificam que suas mágoas eram tão pequenas, tão insignificantes, que não valeu a pena perderem a paz, a alegria e a saúde por conta de ninharias. Em um dos mais belos poemas que já li, esse instante é retratado com muita sabedoria:

"Se eu pudesse viver novamente a minha vida,
Na próxima trataria de cometer mais erros.
Não tentaria ser tão perfeito, relaxaria mais.
Seria mais tolo do que tenho sido;
Na verdade, bem poucas coisas levaria a sério"*.

Nossa mágoa tem o tamanho da importância que nos damos. Quando diminuímos o orgulho, somos mais complacentes com o próximo, deixamos de lado as acusações. Afinal de contas, nada de levar a sério coisas que o tempo haverá de sepultar no túmulo do perpétuo esquecimento. Diante de uma acusação que lhe pareça injusta, diga, com ênfase: "Isso não tem importância porque eu não sou tão importante quanto imagino". E ponto final. Verá como vai se sentir melhor.

Se, todavia, a crítica tem algum fundamento, também não há motivo para agitação. Interprete o fato como um alerta, um aviso a lhe mostrar que algo necessita ser corrigido, aperfeiçoado. No painel do automóvel, uma luz avisa quando o combustível está prestes a terminar. E você não se aborrece com o alerta, simplesmente abastecerá o carro na primeira oportunidade.

Muitas vezes, os amigos não têm coragem de apontar nossas imperfeições com receio de nos ferir. Já nossos adversários não têm essa cautela, comentam nossos deslizes, porém nos oferecem oportunidade de conhecê-los e saná-los. Grandes empresas investem

---

* Segundo o escritor Rubem Alves (*Se eu pudesse viver minha vida novamente*, Verus Editora), a autoria do poema é discutível, sendo ora atribuído a Jorge Luis Borges, ora a Nadine Stair.

muito em serviços de atendimento ao consumidor, pois querem conhecer as críticas que os clientes fazem a seus produtos ou serviços, pois assim podem corrigir suas falhas e garantir a clientela. Pessoas críticas podem se tornar grandes benfeitoras em nossa vida, desde que tenhamos humildade para ouvi-las.

O orgulho impede que aprendamos com nossos próprios erros.

Mas se alguém, mesmo para lhe dizer uma verdade, usou de palavras agressivas, não deixe que o mau humor do outro estrague o seu humor. Não seja uma pessoa reativa, isto é, aquela que reage ao sabor do estímulo que recebe. Se o tempo está bom, ficamos de bom humor, mas se está chovendo, que agüentem nosso azedume. Não! Se chover lá fora, não importa, aqui dentro vamos fazer um lindo dia de domingo. Não permita que a crueldade alheia retire sua paz. Você tem esse poder. Lembre-se: para comer uma deliciosa fruta, muitas vezes você terá de jogar fora a casca.

**"Ante os que te acusem ou absolvam,
o que importa é o que te fala a consciência."**
Irmão José[22]

Pare de se culpar

Um conhecido narrou-me um caso que me pôs a pensar. Ele realiza um trabalho voluntário com moradores de rua; leva-lhes alimento e agasalho. Numa noite de inverno rigoroso, meu amigo, ao entregar a marmita a um dos pedintes, quis saber havia quanto tempo ele estava na rua. O mendigo respondeu que tinha abandonado o lar fazia mais de dez anos. E contou mais ou menos a seguinte história:

> Nasci em Pernambuco e vim para São Paulo em 1980. Logo que cheguei, arrumei emprego numa lanchonete e residia de favor na casa de parentes. Pouco tempo depois, conheci a mulher com quem vim a me casar meses após. Namoramos e ela ficou grávida. Como nos amávamos, resolvemos casar. Fomos morar num cortiço, o dinheiro mal dava para o aluguel. Quando nossa filha nasceu, não cabíamos em nós de tanta alegria. Mas o

contentamento durou pouco. Contraí uma tuberculose violenta e fui despedido, por sinal nem registro em carteira eu tinha. Minha mulher conseguiu emprego numa casa de família e levava a criança consigo por medo de contágio. Ela saía bem cedo de casa e regressava altas horas, trabalhava duro para nos sustentar.

Oito meses depois eu estava curado, porém emprego só consegui depois de quase dois anos. Nesse tempo, eu me desesperava ao ver a esposa nos sustentando, sem de nada reclamar e sempre me dando ânimo para não fraquejar.

Voltando ao trabalho, o destino pôs em meu caminho uma garota que me virou a cabeça. Não conseguia mais dormir e comer pensando naquela mulher exuberante. Pensamentos de luxúria me atormentavam a alma. Fui envolvido por sua beleza sedutora e, cego de paixão, acabei traindo a esposa, entregando-me aos desvarios do sexo.

Quando a consciência acordou, quando me dei conta da loucura que havia feito, não consegui olhar a esposa frente a frente. Não me perdoei, e até hoje não me perdôo por ter traído a mulher que me deu uma linda criança e que me sustentou quando eu estava enfermo. Por isso, por não merecer a esposa que Deus me deu, resolvi abandonar o lar e nunca mais voltar...

Temos um juiz interno mais ou menos implacável quando nos defrontamos com os nossos equívocos. Admiti-los, por vezes, torna-se um processo deveras cruel. Sofremos com os próprios julgamentos, lançamo-nos às labaredas da culpa, transformando a nossa vida num verdadeiro inferno, tal qual ocorreu na história narrada. Se a esposa traída levasse o marido às barras dos tribunais, nem mesmo o juiz o condenaria a viver o resto de seus dias ao relento. A consciência de culpa pode nos colocar em prisões cujas grades nem sempre são fáceis de serem derrubadas. É preciso um outro olhar sobre as nossas culpas, um olhar pleno de humildade, pois do contrário nossa vida será uma prisão perpétua.

Avaliar o resultado de nossas ações é uma atitude necessária, pois nos permite identificar erros e acertos. Quem se analisa tem as melhores chances de êxito, afirmaram os bons espíritos[23]. O problema é saber como realizar essa avaliação. Carecemos de misericórdia ao contato com a nossa sombra. Uma ferida aberta requer bálsamo e não espinho. Afirmou Chico Xavier que, se Deus fosse favorável à dor, não permitiria a descoberta dos anestésicos.

Ainda somos anjos sem asas

A humildade é um desses anestésicos que aliviam o contato com nossas culpas. Quanto maior o sentimento de culpa, maior é o orgulho, maior é a idéia que acalentamos de uma superioridade que, no fundo, ainda não foi conquistada. Ainda alimentamos muitas ilusões a nosso respeito, noções equivocadas de uma suposta evolução – seja ela de que tipo for, moral, intelectual, espiritual –, e quando nos defrontamos com o nosso lado sombrio caímos em terrível processo de culpa. É a dor da vaidade, a dor que nos corrói as entranhas da alma.

Jesus de Nazaré, o maior sábio de todos os tempos, proclamou que felizes são os pobres de espírito, porque deles é o reino dos céus[24]. Por pobreza de espírito entende-se os que têm o espírito vazio de arrogância, empáfia e vaidade. O orgulhoso é cheio de si, por isso sofre quando descobre sua pequenez, suas fraquezas. Só a humildade em reconhecer o que de fato somos nos permite lidar em paz com nossas quedas.

Os erros, quando vistos com humildade, dão-nos a noção exata do que somos e do que ainda não somos, do que já sabemos e do que ainda nos resta saber. Aprender é um processo contínuo, cada um no seu ritmo, no seu momento, na sua possibilidade. Ninguém conseguiu andar de bicicleta na primeira tentativa, foram precisos muitos tombos e pernas roxas. As quedas nos ensinam como nos manter em pé. O cientista famoso de hoje foi o analfabeto de ontem. O espírito de luz que hoje nos orienta já andou pelo vale da sombra. André Luiz nos traz uma recordação importante:

> "Se você cometeu quaisquer erros, admita-os, fazendo quanto puder para não reincidir neles, mas lembrando sempre que você não é uma entidade angélica e sim uma criatura matriculada na escola humana"[25].

Empresas modernas, ao selecionarem seus empregados, não vêem com bons olhos os perfeccionistas, pois eles têm enorme dificuldade em lidar com seus erros e, por isso, não aprendem com as derrotas, perdendo excelentes oportunidades de progresso. É que a culpa nos faz olhar para trás – e as soluções podem estar em frente, afirmou Anne C. Fonne[26]. Quem se culpa fixa-se no erro e não no aprendizado. As leis espirituais não são punitivas, a vida não tem interesse algum em nos punir, embora deseje nos reeducar rumo ao aperfeiçoamento.

Quando nos defrontamos com nossas imperfeições, sejam elas de que tipo for, poderemos apresentar uma tendência à crueldade conosco. Passamos a nos odiar, rebaixamos a auto-estima a níveis indesejáveis, sentimo-nos incompetentes e fracassados, e esse juiz implacável que habita os arcanos da consciência nos condenará a severos castigos. Foi o que percebeu a doutora Robin Casarjian, terapeuta norte-americana:

> "A personalidade 'culpada' inconscientemente exige punição pelo que foi feito, então estabelece a sentença na forma de infelicidade, depressão, um senso crônico de indignidade, ou até mesmo males físicos e psíquicos. Por exemplo, condenados que não foram reabilitados – e o autoperdão é um aspecto crítico da reabilitação – costumam cometer outro crime logo após saírem da cadeia. É uma maneira de se punirem inconscientemente pela profunda culpa que sentem"[27].

Quando a autodepreciação é uma constante em nossa vida, mandamos uma informação à mente subconsciente de que não somos bons o bastante e, como conseqüência, ela criará um campo magnético de forças destrutivas que engendrará situações desagradáveis como doenças, acidentes e pessoas agressivas. O mecanismo é o seguinte: pessoas boas merecem o melhor. Pessoas más merecem castigo.

No entanto, somos nós quem julgamos não sermos uma boa pessoa pelo fato de termos nos equivocado em algum momento da vida. Quem se culpa, condena-se, afastando de si a felicidade, a saúde e a alegria de viver. Muitas vezes a vida só melhora quando mudamos a visão que temos de nós mesmos e o olhar sobre os nossos erros.

Enxergue-se com bons olhos e pare de se agredir, pois do contrário só agressão vai surgir em seu caminho. E não é isso o que Deus deseja a você. Aliás, essa sensação de culpa muitas vezes está associada a idéias religiosas equivocadas, carregadas da falsa concepção de que Deus está nos punindo por aquilo que fazemos ou deixamos de fazer. Ora, Deus nos criou e já nos ama por sermos o que somos, e não por aquilo que fizemos ou deixamos de fazer. O amor de Deus é incondicional, é o amor do pastor que deixa todo o rebanho de lado e parte em busca da ovelha que se perdeu no caminho. Toca-me profundamente a sensibilidade espiritual dos terapeutas Harold Bloomfield e Philip Goldberg:

> "Se nós podemos dizer que Deus tem uma personalidade de pai, será que nós realmente pensamos que o nosso Pai Celestial quer que passemos o nosso precioso tempo na Terra caminhando sobre cascas de ovos em vez de dançar de alegria? Será que nós acreditamos

que a nossa Mãe Divina nos quer paralisados de apreensão em vez de eletrizados de admiração? Será que é isso que você quer para seus filhos?"[28]

Não feche os olhos para seus erros, aceite-os corajosamente, eles medem quanto ainda há por fazer. Aprenda com os desenganos. Eles são mestres da sua evolução, não os renegue, traga-os do porão da sua consciência para a luz do perdão e do amor. Tem razão Paul Ferrini ao afirmar que o trabalho de reabilitação é um trabalho de integração[29]. Quando você se aprisiona nas grades da culpa não há reabilitação, porque uma parte de você não é aceita, é lixo jogado debaixo do tapete, você se sente imundo, dividido, em pecado. É preciso haver integração da sua sombra, trazê-la à luz da consciência, admiti-la, aceitá-la, deixá-la vir naturalmente e banhar-se nas águas cristalinas do perdão. E essa integração se inicia com o arrependimento dos equívocos cometidos e se completa com a reparação dos nossos erros, como afirmou Allan Kardec[30]. O arrependimento é a tomada de consciência de nossos equívocos e o desejo sincero de dar novo rumo aos nossos atos.

A reparação é a etapa final, demonstra que reconsideramos as atitudes e que desejamos a reconciliação com as vítimas dos nossos erros. Só o bem repara o mal. O Espírito Irmão José recomenda:

"Repara logo o erro que cometeste, impedindo que ele cumpra o seu ciclo e volte a ti, acrescido de vibrações negativas acumuladas"[31].

Se você sofre a dor de suas culpas, liberte-se o quanto antes desse quadro, interrompendo o ciclo de castigos e punições. Nada disso é preciso. No *Evangelho*, outro caminho nos é oferecido: é o caminho do amor que cobre a *"multidão de pecados"*[32]. Vista-se de humildade, cubra-se com o manto da aceitação e caminhe pelas estradas do arrependimento e do amor. Assim agindo, você terá feito as pazes consigo mesmo e verá como a culpa vai logo embora.

> **"Cair em culpa demanda, por isso mesmo, humildade viva para o reajustamento tão imediato quanto possível de nosso equilíbrio vibratório, se não desejamos o ingresso inquietante na escola das longas reparações."**
>
> Emmanuel[33]

Olhe-se com amor

No ano de 1995, iniciei a tarefa de divulgação da Doutrina Espírita por meio de palestras públicas e aulas em cursos de Espiritismo. Não sabia se teria jeito para a coisa, pois sempre fui um tanto retraído. Preparava-me intensamente para a exposição, lendo, pelo menos, de três a quatro livros sobre o assunto a ser abordado. Para uma palestra de uma hora, eu tinha assunto para conversar o dia inteiro. Apaixonei-me pelo trabalho, descobri que gostava de explicar, sentia um enorme prazer em ajudar as pessoas a refletirem sobre temas ligados à espiritualidade.

Aliás, desde pequeno eu manifestava um forte interesse em desvendar o mundo espiritual, tendência, por sinal, que trago até hoje, pois penso que sabemos muito pouco sobre a vida no mais Além, e temos dificuldades em ajustar o conhecimento espiritual ao nosso dia-a-dia. Espiritualidade para nós ainda é algo em que se pensa apenas no momento em que estamos em dificuldades. Digo, no entanto, que estamos em dificuldades porque não raciocinamos como espíritos. Em minhas palestras e livros, tenho tentado mostrar, embora reconheça que de forma muito singela, que laços vigorosos unem a vida material e a vida espiritual, como se fossem dois lados da mesma moeda e não como situações independentes, como costumeiramente se pensa.

Pois bem, voltando ao tema, estava animado com o início da tarefa. Entretanto, um sentimento de insegurança tomava conta de mim. Ao término de cada palestra, temia a desaprovação dos ouvintes, amedrontava-me com a possibilidade de algum comentário negativo sobre o meu desempenho. Confesso que, ao longo desses anos, foram raras as críticas que me endereçaram, pelo menos as que chegaram ao meu conhecimento. Admito que até o silêncio das pessoas me deixava cismado. "Será que elas não gostaram da palestra?" – era a pergunta que eu me fazia ao longo de toda a semana após a apresentação. Nada pior do que o silêncio, nada pior do que a indiferença. Comparava-me com oradores mais experientes e, quando assistia às suas palestras, confesso, sentia-me um lixo, um zero à esquerda. Pensei em imitá-los, mas qualquer tentativa nesse sentido redundava em fracasso, a exposição não deslanchava, sentia-me amarrado e não gostava do que apresentava ao público.

Não suportando mais me sentir lá embaixo, clamei aos céus por ajuda. Indaguei o que estava faltando em mim para eliminar aquela sensação horrível de insatisfação comigo mesmo. Esperei que Deus mandasse um anjo. Não mandou. Esperei que Ele viesse pessoalmente me tirar do fundo do poço emocional. Não veio. Deus simplesmente mandou uma pessoa me criticar duramente após uma palestra que realizei na Federação Espírita do Estado de São Paulo:

— De Lucca, você ainda pode se tornar um bom orador, mas a palestra de hoje foi péssima!

— Por quê? — indaguei desapontado.

— Porque você poderia ter feito melhor — foi a resposta franca e ao mesmo tempo amarga.

— E o que seria esse "melhor"?

— O melhor é você.

Passado o impacto da crítica, nem sempre temos coragem de olhar para nós mesmos, reconheci que Deus havia atendido minhas preces. Eu havia recebido uma das lições mais importantes em minha vida: a de que eu não me amava. Amar-me exigiria que me olhasse com bons olhos, que me aceitasse como era, que descobrisse meus próprios potenciais, que não invejasse ninguém. Parei de me depreciar, parei de ver tantos defeitos em mim, e passei a reconhecer que a minha maneira de expor era tão boa quanto a dos outros oradores, embora fosse diferente deles. A partir de então, sendo o mais natural possível, embora isso tenha levado algum tempo, melhorei sensivelmente a comunicação e, confesso, as palestras ganharam maior autenticidade e vibração. Hoje consigo atingir muito mais o coração da platéia.

É claro que, se antes me considerava inferior, hoje não me sinto melhor do que ninguém, pois sei que cada um tem a sua própria riqueza, um tesouro que somente poucos têm explorado. Temermos esse mergulho interior pensando que encontraremos um ser monstruoso habitando as profundezas da nossa alma.

Receamos encontrar uma fera dentro de nós. Não nos damos conta, todavia, de que a viagem interior nos levará a descobrir um ser belo e profundamente amoroso, dotado de luz suficiente a iluminar os atalhos do nosso caminho.

Uma boa auto-estima é fundamental para superar os desafios da existência. No calor das provações, a auto-estima tende a enfraquecer, o que nos deixa mais vulneráveis aos problemas. O ato de amar a nós mesmos gera combustível suficiente para nos sentirmos fortes diante de quaisquer dificuldades. Quando, todavia, nos desvalorizamos, acabamos por duvidar da própria capacidade e assim nos sentimos impotentes diante dos problemas, com poucas probabilidades de superá-los.

O pior dos medos

Temos dois sentimentos básicos: amor e medo. Um é a ausência do outro. A falta de amor gera o medo; o medo de não ser amado é o pior dos medos. A carência de amor e afeto explica toda a nossa insegurança perante a vida. Toda pessoa agressiva é insegura, insegura porque não se sente amada ou não se acha merecedora de amor. Por isso, a auto-estima está diretamente ligada à imagem que temos de nós mesmos. Vivemos de acordo com o que pensamos ser. Agimos e reagimos de acordo com a idéia que fazemos a nosso respeito. Se me vejo incapaz, sinto-me como tal e, em decorrência, comporto-me como incapaz. Se, todavia, vejo-me apto a superar problemas, sinto-me capaz, expresso confiança em tudo o que faço. Sou como o ator que interpreta fielmente o roteiro da novela. O que esquecemos, porém, é que também somos os autores do enredo. Em quase todas as tradições espirituais se afirma que o destino está em nossas mãos. E agora sabemos a razão.

Por sinal, qual é a imagem que você tem a seu respeito? Vale a pena meditar sobre o assunto, é muito provável que grande parte dos seus problemas esteja ligada ao chamado "complexo de inferioridade". Não será essa a sua dor? Será que você não se sente menos, inferior aos outros? Nossa vida emperra quando nos sentimos assim, pois a autodepreciação derruba todas as nossas forças.

Se esse for o seu caso, a solução será mudar a imagem que formou a seu próprio respeito. É simples, embora requeira trabalho constante da sua parte. Mas é compensador, você verá o impacto positivo em sua vida quando se amar de verdade. Segundo Nathaniel Branden, um dos maiores especialistas nesse assunto, a autoestima envolve dois componentes: o sentimento de valor pessoal e o sentimento de competência pessoal[34]. Sinta-se merecedor, digno, amável e capaz de lidar com quaisquer obstáculos.

> Ninguém de fato é inferior, apenas se sente como tal. Ninguém é incapaz, apenas não descobriu o próprio poder.

Precisamos ajustar a nossa imagem, aproximarmo-nos daquilo que realmente somos: seres de luz, filhos de Deus, herdeiros de potenciais divinos. Por isso, você é uma pessoa digna de ser amada e não pode mais adiar o trabalho de gostar de si mesmo, pois pouco adiantará saber que os outros o amam se você bloqueia esse sentimento, desprezando-se. Ninguém terá força para viver sem um profundo amor por si mesmo. Esperamos que os outros nos amem, que preencham as nossas necessidades. Essa ânsia de ser amado é torturante, pois nem sempre é correspondida. Ninguém tem a obrigação de nos amar. Cada um tem a responsabilidade de cuidar de si mesmo.

> Você é a única pessoa com quem poderá contar pelo restante da vida.

Muitos dizem não se enxergarem como criaturas amorosas porque ainda não são evoluídas, ainda não são como Madre Teresa de Calcutá ou Chico Xavier. É uma visão deturpada, fundada na falsa idéia de que Deus nos ama somente se fizermos coisas boas. Não e não. Deus nos ama pelo que somos e não pelo que fazemos ou deixamos de fazer. Não há dúvida de que agir bem propicia o nosso desenvolvimento espiritual, mas isso não quer dizer que Deus não nos ama quando não agimos corretamente. O amor de Deus é incondicional e feito para o agora, não para o dia em que formos anjos. Aliás, para Deus, nós já somos anjos, apenas nos falta reconhecer essa condição. Não terá sido esse o propósito de Jesus ao se referir a nós como *deuses*[35]?

Sair do abismo do sofrimento e chegar ao pódio da felicidade depende de como você passará a se olhar daqui para a frente. Se os seus olhos forem bons...

> "O ser perfeito não é algo que precisamos criar, porque Deus já o criou. O ser perfeito é o amor dentro de nós."
> Marianne Williamson[36]

Brincar de viver

Esse é o título de uma linda canção composta por Guilherme Arantes e Jon Lucien, que Maria Bethânia soube tão bem interpretar. Cantei muito essa música quando, de violão em punho, reunia-me com amigos apaixonados por música popular brasileira. "Brincar de viver" pode ser uma saída interessante para quem se sente esgotado por levar a vida tão a sério. Acredito que poderíamos conduzir a existência com um pouco mais de leveza e inocência, algo de que as crianças entendem muito bem. Não estou pregando um viver irresponsável, longe disso, mas um modo de levar a vida sem tantas certezas, tensões, cobranças e expectativas exageradas. Sinto que andamos com fardos muito pesados. É preciso aliviar a carga.

Entrar para a vida adulta implicou assumirmos tantas responsabilidades que nos transformamos em pessoas de cara amarrada, sisudas, implicantes. Crianças acham gente grande muito chata. É possível que elas tenham alguma razão. A chamada "maturidade" fez alguns estragos. Perdemos muitas vezes a espontaneidade, a capacidade de renovação de idéias e hábitos, a alegria, a esperança e o bom humor, com evidentes prejuízos para os relacionamentos e até para a própria saúde.

A idade adulta também nos fez deveras exigentes conosco e com o próximo. Precisamos ser perfeitos em tudo, ao mesmo tempo que cobramos perfeição dos outros. Qualquer erro ou contratempo nos tira do sério. Queremos ter paz na Terra, mas perdemos a paz na fila no banco, no caixa do supermercado, com o cobrador que não tem um centavo de troco. Outro dia eu estava na farmácia, e um jovem, descontraído, não viu a imensa fila de pessoas que aguardavam o caixa e passou na frente de todos. Fiquei irado. O sangue subiu à cabeça. Tive o ímpeto de reclamar com o garoto, pois eu era o próximo a ser atendido. Um pensamento, no entanto, gritou mais forte dentro de mim e indagou:

Que importância isso vai ter daqui a uma hora?

Parei no meio do caminho, ainda bem. Fiquei desconcertado com a pergunta que não sei de onde veio. Reconheci a insignificância do episódio. Em menos de uma hora o fato não teria a menor relevância. Cairia no completo esquecimento. Então não seria melhor esquecê-lo antes de causar um estrago maior? Muitos crimes se cometem no trânsito por ninharias. Muitos enfartes se desencadeiam a partir de discussões sem motivo relevante. Aliás, se há motivo relevante, mais uma razão para não discutir e sim para conversar com calma e equilíbrio. O rapaz furou a fila sem intenção. Eu mesmo já devo ter feito isso muitas vezes. E se não fiz, o que não posso garantir, meus filhos provavelmente o farão. É uma questão de tempo e oportunidade.

Não estou defendendo uma desobediência civil, um abandono da moral e dos bons costumes. Estou é assim defendendo um modo de viver menos implicante, um jeito mais tolerante com as imperfeições tão naturais de cada um. Estou falando de flexibilidade, algo de que as crianças entendem muito bem. Impressiona-me ver como elas facilmente se adaptam às circunstâncias e às outras crianças. Se fizer sol, elas brincam na rua. Se chover, elas mudam logo o local, e a brincadeira continua. Você não verá duas crianças brigadas por muito tempo. Com uma rapidez de dar inveja, elas resolvem suas divergências como se nada tivesse ocorrido. Já os chamados adultos...

É muito gostoso conversar com crianças, pois elas sempre nos dão respostas surpreendentes e, ao mesmo tempo, sinceras. De forma leve, dizem o que sentem. Por isso se tornam encantadoras. Os adultos, amiúde, têm diálogos previsíveis, monossilábicos, dissimulados. Se precisarmos ter uma conversa mais séria com alguém, planejamos o que iremos falar e, simultaneamente, já imaginamos a resposta que ouviremos e a réplica que faremos. Que loucura!

Não é à toa que Jesus afirmou pertencer o reino dos céus aos que se assemelhassem às crianças[37]. Eu também aprendi isso com a Marianne Williamson:

"Nossa capacidade de brilhar é equivalente à nossa capacidade de esquecer o passado e o futuro. É por isso que as criancinhas brilham. Elas não se lembram do passado e não têm ligação com o futuro. Se formos como as criancinhas, o mundo finalmente crescerá"[38].

Sorrir, quando a dor nos procurar

Em "Brincar de viver", sensibiliza-me, ainda, outra questão importante para nossa felicidade. Como agir quando a vida fecha uma porta para nós. A resposta está na canção: "A arte de sorrir, cada vez que o mundo diz não". É preciso sorrir para os reveses da vida. Sorrir é uma atitude interior que nasce a partir do instante em que aceitamos o que nos ocorre, pois sabemos que só o melhor nos sucede, ainda que as aparências digam o contrário. O Espírito André Luiz, por intermédio da mediunidade de Chico Xavier, afirma que as dificuldades são chaves libertadoras, que funcionam em nosso espírito, a fim de que nosso espírito se mude para o que deve ser[39]. A doença surge para que possamos volver ao equilíbrio perdido. O obstáculo aparece para que consigamos superar as próprias deficiências. Natural, assim, que surjam em nosso caminho problemas de toda ordem, à feição de oportunidades de progresso e melhoria da própria vida. É preciso olhar a dor com outros olhos, não como punições ou castigos divinos, porém como portas que nos levarão ao progresso material e espiritual. Crise é oportunidade de crescimento.

Sendo assim, a falta de aceitação das nossas dificuldades implica perdermos valiosa oportunidade de ascensão. A aceitação nada tem a ver com a inércia, com o comodismo, que tantos males nos causam. Sem ação, sem atitudes, o homem não transformará o seu destino. Luiz Marins, consultor empresarial renomado, esclarece:

> "Você deve passar, enfim, do plano do choro ao plano da ação, isto é, você deve agir"[40].

Mas a ação nasce exatamente da aceitação do que somos e do que não somos, do que temos e do que não temos, e do que as pessoas são e do que elas não são. Volto às crianças para lembrar como elas são maleáveis, flexíveis, imaginativas. Vejo meus filhos transformando pequeninos bonecos de plástico em guerreiros interplanetários com a missão de salvar o mundo. Se o tempo está bom, eles brincam fora de casa e se está chovendo eles se recolhem e brincam como podem, sem nenhuma irritação.

Já os adultos vivem insatisfeitos com tudo e com todos, até com eles mesmos. Gostaríamos que as pessoas fossem diferentes, apreciaríamos ter nascido em outro país, sonhamos com outra família, outro emprego, outra vida enfim. E como as coisas não são como desejaríamos, manifestamos uma hostilidade em relação a tudo o que não atende às nossas expectativas.

Esse estado de permanente insatisfação gera má vontade para lidarmos com os desafios existenciais. Nada progride sem boa vontade. Já imaginou o que é chegar ao trabalho contrariado e encontrar a mesa cheia de tarefas nos aguardando? É possível também imaginar a cara de sacrifício que fazemos ao voltar para casa quando não aceitamos nossos familiares. Nossas insatisfações geram confronto e tensão com pessoas e coisas, impedindo que encontremos as soluções necessárias para os problemas que se apresentam. Paremos de brigar com a vida, para que ela não brigue conosco. Paremos de ser inflexíveis e aprendamos a nos adaptar às circunstâncias da vida. Precisamos ir pela inteligência, não pela força.

A aceitação é uma atitude inteligente, pois só podemos mudar o que aceitamos em nós mesmos e nos outros. Se chegarmos ao trabalho insatisfeitos com a empresa, nosso rendimento será insuficiente, pois a irritação e a má vontade impedem um bom desempenho profissional. Se, ao contrário, tivermos boa vontade com o trabalho, realizaremos o melhor ao nosso alcance, não importando as condições existentes. Aliás, a pessoa de sucesso é aquela que cria as condições necessárias ao seu progresso. Tem razão Benjamin Disraeli ao afirmar:

"O homem não é a criatura das circunstâncias; as circunstâncias é que são criaturas do homem"[41].

Há um ditado popular que expressa muita sabedoria: "Se você só tem um limão, então faça uma boa limonada". Não adianta ficar brigando com a fruta, aproveite o que ela tem de bom e faça o melhor que puder. Se o seu chefe é implicante, não adianta você criticá-lo pelos corredores da empresa e reclamar que não tem ascensão profissional por causa dele. Você deve é aprender a lidar com pessoas exigentes e apresentar um serviço impecável. Se você tem um professor que não dá nota sem aplicação do aluno, não adianta reclamar do mestre e elaborar abaixo-assinado para removê-lo. O jeito é aceitar que o professor é assim mesmo e estudar o suficiente para ser aprovado com distinção. Pronto. Aceitação é assumir a sua realidade e a partir dela realizar o melhor ao seu alcance. Assim a vida fica muito mais fácil e gostosa de viver. As crianças têm muito a nos ensinar.

> **"A aceitação dos nossos problemas representa cinqüenta por cento da solução dos mesmos. Os outros cinqüenta vêm com o tempo."**
> Emmanuel[42]

Na hora da enfermidade

Poucas pessoas passam pela vida sem a visita da doença. O doutor David Niven, psicólogo americano, refere-se a uma pesquisa da Universidade de Emory, segundo a qual menos de 19 por cento dos americanos podem ser classificados como completamente saudáveis[43]. Vale dizer: 81 por cento da população norte-americana está doente. É um número considerável para uma nação que não tem tantos problemas sociais como os países da África e da América Latina. Eu até diria que o número de enfermos é bem maior que a estatística referida, pois se a saúde, de acordo com a Organização Mundial da Saúde, é "um estado de completo bem-estar físico, mental, social e espiritual", parece-me extremamente difícil encontrar uma pessoa que reúna, a um só tempo, tais condições. Portanto, sendo improvável ostentar saúde integral, ao menos por boa faixa da nossa existência, parece natural que tenhamos necessidade de aprender a conviver com a doença.

A enfermidade, além de enfraquecer as forças físicas, pode também abater nosso ânimo. Com o espírito enfraquecido, a doença se agrava e o círculo vicioso se estabelece de forma perigosa. É claro que ninguém aprecia ficar doente, pelo menos em sã consciência, mas devemos ter cuidado para que as emoções negativas não dificultem ou até mesmo impeçam a cura. A primeira cautela é não se sentir um desventurado, vítima indefesa da doença, pois segundo o médico Deepak Chopra: "O que você vê você se torna". É o princípio que tenho defendido neste livro, e que se aplica inteiramente ao processo saúde/enfermidade. Se me vejo doente, torno-me doente. Se me sinto vítima, torno-me indefeso. Se me julgo fraco, transformo-me como tal. A fisiologia do corpo é capaz de se alterar diante da percepção de cada um. Para sustentar a tese, o doutor Chopra narra a seguinte experiência envolvendo gatinhos recém-nascidos:

> "Três grupos de gatos foram colocados em ambientes cuidadosamente controlados, enquanto estavam abrindo os olhos. O primeiro era uma caixa branca pintada com listras horizontais pretas; o segundo era uma caixa branca com listras verticais; o terceiro era uma caixa inteiramente branca.
> Depois de ser exposto a essas condições durante os poucos e cruciais dias em que a visão se desenvolve, o cérebro dos gatinhos acomodou-se a elas para sempre. Os animais criados num mundo com listras horizontais não podiam ver corretamente nada que fosse vertical

– trombavam em pernas de cadeira, cuja verticalidade tinha pouca ou nenhuma realidade para eles. O lote que ficara na caixa com listras verticais apresentava o problema exatamente oposto, sendo incapazes de perceber linhas horizontais. Os gatinhos criados na caixa toda branca tinham uma desorientação maior e não conseguiam se relacionar com nenhum objeto de forma correta"[44].

Conclui o doutor Chopra que os animais tornaram-se o que viram. Conosco também assim ocorre. A percepção que venhamos a ter sobre as coisas, sobre nós mesmos e sobre os outros, é que determinará nosso comportamento. Quem age com violência, por exemplo, é porque percebe a vida como algo perigoso, agressivo. Já quem age com bondade é porque percebe a vida com os olhos bons, enxerga a vida como algo magnífico e, portanto, comporta-se como criatura dotada de amor suficiente para si e para o próximo. Quando em visita ao conhecido presídio do Carandiru, em São Paulo, Chico Xavier dispensou qualquer medida de segurança pessoal e, para desespero do diretor do estabelecimento carcerário, solicitou que não se algemassem os detentos e que os guardas dispensassem suas armas. E foi uma cena comovedora ver criminosos de altíssima periculosidade se derramarem em prantos nos braços paternais de Chico Xavier. O que provocou esse milagre foi a percepção que o médium teve dos presos. Não os viu como criminosos; enxergou-os, antes, como irmãos carentes de amor e entendimento. Chico dizia aos presos que também era um criminoso perante as leis de Deus.

É fácil entender assim o motivo pelo qual Jesus nos pede para ter bons olhos, porque somente assim todo o nosso corpo terá luz. O Mestre aponta para a necessidade de mudar a nossa percepção. Será decisivo para a cura um olhar otimista sobre a doença. Jamais pensar em castigo divino ou punição por qualquer coisa que tenhamos feito de errado. Deus apenas está nos chamando de volta para casa. A enfermidade é apenas um sinal de que nos distanciamos do amor, a fonte de onde brota a saúde integral. Os psiquiatras Frank Minirth e Paul Méier descreveram as três principais causas do sofrimento emocional:

1. incapacidade de dar valor a si próprio;
2. falta de intimidade com outras pessoas (solidão, associada a rancores acumulados em relação a outras pessoas ou a si próprio);
3. falta de intimidade com Deus[45].

Parece-me claro que o desamor está na raiz dos nossos sofrimentos. Encontrar a cura é reencontrar o amor em nossa vida. O amor aqui deve ser entendido no seu sentido amplo, não se limitando, embora não excluindo, seu aspecto romântico. Fico com a descrição feita pelo doutor Marco Aurélio Dias da Silva, talvez no Brasil o primeiro médico a pregar a máxima "Quem ama não adoece":

"Preferia descrevê-lo (o amor) como um estado de espírito, que se caracteriza por tal sensação de quietude interior e satisfação consigo próprio que transbordaria para uma atitude otimista e desarmada perante a vida e as outras pessoas. Amar os outros e a vida é, pois, mera conseqüência do amor a si mesmo"[46].

A cura pressupõe entender em qual trecho do caminho nos perdemos e regressar o quanto antes para a estrada onde há amor, paz, alegria, humildade e perdão. É semelhante ao retorno do Filho Pródigo à Casa do Pai[47]. Proponho que façamos as seguintes perguntas:

Em que momento da vida deixei de amar?
Em que quadra da existência neguei perdão a mim mesmo e ao próximo?
Quando deixei de ser uma pessoa pacífica?
Quando perdi a alegria?
Quando deixei a humildade de lado?

É provável que a doença tenha surgido tempos depois de abandonarmos o caminho que Deus carinhosamente traçou para nossa felicidade. Talvez estivéssemos precisando de um período inadiável de refazimento e não nos permitíamos a tanto, julgando-nos o próprio super-homem (falta de humildade?). E a enfermidade nos trouxe férias compulsórias, e com ela a lição de que a saúde depende do equilíbrio entre repouso e trabalho, de que nada adianta ganhar o mundo e perder a vida.

Outras vezes, os dias num leito de hospital nos ajudam a valorizar as pequenas coisas da vida, aquelas a que raramente damos importância, como poder levantar todos os dias da cama para o trabalho, tomar banho, andar, movimentar as mãos, desenvolver nossos projetos de vida, ir de um lugar a outro, viajar, divertir-nos, alimentar-nos, estar reunido com a família, com os amigos, ler, ouvir música etc. A pausa forçada pela enfermidade talvez esteja nos chamando a atenção para celebrar mais a vida, valorizar essas chamadas pequenas grandes coisas, pois são elas que garantem a alegria de viver.

A enfermidade também enseja outra lição que não pode ser esquecida. Consiste em perceber o quanto dependemos um do outro, vale dizer, o quanto também somos frágeis embora nos disfarcemos de heróis 24 horas por dia. Mas até o Super-Homem, famoso personagem de histórias em quadrinhos, tem o seu ponto vulnerável. Nós nos julgávamos os todo-poderosos, auto-suficientes, e agora, doentes, precisamos do médico, do enfermeiro, do farmacêutico e dos familiares para nos dar banho, remédio e comida na boca.

Remédio milagroso

Percebemos que nossas doenças são mais do que desarmonias físicas, são também desarranjos do espírito orgulhoso. Eis aí a doença mais grave que precisa ser tratada e aquela que mais temos resistência em enxergar. A receita de Jesus é amar. "Feliz aquele que ama", afirmou o Espírito Lázaro, "porque não conhece as angústias da alma, nem as do corpo"[48]. Recuperar a saúde será, em última análise, um ato de amor a si mesmo, ao semelhante e a Deus. Esse é o milagre da cura espiritual.

A saúde é o resultado de uma combinação de bem-estar físico, emocional, social e espiritual. Manter ou recuperá-la pressupõe atuar nesses níveis que se interpenetram. Se você se encontra enfermo, não se entregue ao pessimismo e ao desalento, pois assim dificultará ou até impedirá o restabelecimento. Quando Jesus debelava doenças, apontava a fé como o agente da cura. Então movimente sua fé a favor da saúde, creia que você não é um doente, apenas está doente, e quem está pode deixar essa condição, que é passageira. Agradeça a visita da doença, ela não teria aparecido se não fosse preciso para a sua felicidade. Aprenda a lição que ela trouxe; por certo, você estava se ferindo demais com tanto orgulho, ódio, julgamento, mágoa, abandono, medo e culpa. Agora chegou o instante glorioso de você encontrar a cura banhando-se nas águas milagrosas do amor e da fé. Mergulhe fundo.

> "Tranqüilize o campo nervoso.
> Descanse o pensamento na prece e
> no trabalho do bem e use a serenidade
> mental como remédio edificante."
> Bezerra de Menezes[49]

Olhe-se como espírito

Desde pequeno, embora nem espírita fosse, pelo menos assim não me reconhecia, afeiçoei-me à figura de Chico Xavier. Lembro-me de que, aos 11 anos de idade, comprei na banca de jornal uma pequena biografia do famoso médium. Devorei-a em poucos dias. Meses depois, ofertei o próprio exemplar a uma amiga de colégio que havia perdido os pais num acidente de trânsito e que estava transtornada, por razões óbvias. Foi o primeiro livro espírita que li e que dei de presente. Somente mais tarde vim a compreender que minha admiração por Chico nasceu da constatação de que ele vivia no mundo sem ser deste mundo. Sua bondade, seu desprendimento em relação aos bens materiais, muito mais do que seus feitos mediúnicos, é que o distinguiram como um homem verdadeiramente espiritualizado.

Sempre me questionei sobre o que de fato representa ser uma pessoa espiritualizada. Imaginamos talvez que se trate de alguém que viva em constante estado de meditação, isolado do mundo, cercado de velas, incensos e mantras. Talvez alguém que viva na igreja ou no centro espírita, que conheça de cor os textos sagrados, e que também não coma carne e não faça sexo. Ledo engano. Tudo isso é perfumaria, aparência de espiritualidade. O verdadeiramente espiritualista é aquele que vive como espírito imortal, e não como um corpo de carne perecível. Ele sabe que a essência é mais importante do que a forma. Ele cuida da forma, sim, mas como meio de permitir que a essência se realize neste mundo, cumpra a missão para a qual Deus a criou. Ser espiritualista é viver como espírito eterno, não como um ser carnal. É cuidar da essência, é viver no espírito, sem que isso signifique desprezo pela matéria. O espiritualista não faz da matéria o eixo central da existência, ele cuida dos bens que os ladrões não roubam e as traças não roem. E assim age desenvolvendo os talentos de seu espírito.

Um empresário, por exemplo, pode ser um homem profundamente espiritualizado a partir do instante em que desenvolve sua capacidade empreendedora, sua criatividade, garra, perseverança, intuição, criando uma vida melhor para si e para a comunidade. O lucro não é seu principal objetivo, é apenas conseqüência da alegria e satisfação que sente ao concretizar projetos que redundem em progresso social. E isso é o que conta, a capacidade de realização, a felicidade em primeiro lugar. Os bens materiais são meras conseqüências de uma vida de riqueza espiritual. Quando, porém, esquecendo que somos espíritos, pomos o lucro como objetivo maior da nossa vida, pouco importando se para atingi-lo venhamos a sufocar nossa alma e a prejudicar nosso semelhante, acabamos nos distanciando da vida espiritual, a vida verdadeira, e passamos a experimentar, mais cedo ou mais tarde, um vazio existencial insuportável.

Quem sou eu? (Um dia teremos de levar a sério a pergunta)

Não basta apenas ter preocupação com nossas necessidades materiais, pois, em realidade, somos muito mais do que o corpo. O doutor Brian Weiss, psiquiatra norte-americano, afirmou que não somos seres humanos que, eventualmente, desfrutam de experiências espirituais, mas seres espirituais que têm experiências humanas[50]. Esse paradigma fundado na idéia de que somos espíritos altera por completo o eixo da nossa vida. Quando nos enxergamos como espíritos imortais, os problemas diminuem de importância, o que diz respeito à matéria fica reduzido a questões menores. Nem mesmo a morte chega a ser assustadora, como o é para a maioria das pessoas, pois o que perece é tão-somente o corpo. Aliás, já "morremos" centenas de vezes e regressamos outras tantas ao mundo físico para a continuidade da jornada espiritual rumo à felicidade, ora repetindo experiências fracassadas, ora avançando na conquista de novos valores intelecto-morais.

Portanto, dar atenção às necessidades do espírito é fundamental a uma vida feliz. Os instintos satisfazem as necessidades do corpo; os sentimentos nobres alimentam a alma. Quantos de nós padecemos de anemia espiritual, sentimo-nos sem força para viver. Cuidamos bem do espírito quando temos a habilidade de conduzir o leme da nossa vida para as águas dos sentimentos superiores. Você é o comandante da embarcação, dirige-a para onde quiser, mas sempre encontrará praias paradisíacas ou ilhas desertas conforme a inclinação que der ao leme.

Da mesma forma que o corpo, o espírito também precisa de um tipo de alimento que não é encontrado nas vitrines de um *shopping center*. Somente o que transcende a matéria alimenta o espírito. Não saciamos os anseios da alma com roupas, jóias, dinheiro ou apartamentos de cobertura. Como o espírito é etéreo, alimenta-se de coisas etéreas. E a alma gosta de coisas simples, muito simples.

- Ouvir música.
- Apreciar pintura.
- Conversar com Deus.
- Ler um bom livro.
- Estar cercada de gente.
- Contemplar a natureza.
- Observar o pôr-do-sol.
- Sentir o cheirinho de mato molhado.
- Socorrer alguém em aflição.
- Pular fogueira de São João.
- Admirar o sorriso de uma criança.
- Aprender com a sabedoria de um ancião.
- Rir de si mesmo.
- Escrever bilhetes de amor.

- Ouvir histórias ao pé do fogão.
- Conversar com amigos.
- Sentir-se amada por Deus.
- Amar as criaturas de Deus.

Aí estão apenas alguns alimentos riquíssimos para a alma, vitaminas poderosas para a fraqueza espiritual. Tudo aquilo que você admira e cultiva acaba impregnando o espírito. Admire o belo, e a beleza fará parte da sua vida. Fite o céu estrelado e sentirá estrelas luminescentes clareando o céu da sua existência. Ouça uma música alegre e a alegria tomará conta de você. Enalteça as virtudes das pessoas e acabará reconhecendo as suas. Surpreenda-se com o misterioso desabrochar de uma flor em plena via pública e descobrirá a esperança despontando no deserto das suas dores.

Deus também quer nutrir nosso espírito. A prece é o canal condutor das energias celestiais que emanam do Criador. Elas estão à nossa disposição, basta pedir e abrir a alma para Deus, tal como a criança que abre a boca procurando o seio materno. A criança não precisa de outro alimento, nem escolhe comida no cardápio, pois sabe que receberá o que lhe for necessário. Ela simplesmente confia. Estaremos saciados quando abrirmos a alma para Deus por intermédio dos sentidos espirituais, e, como crianças, receberemos o pão da alma.

Cuidar do espírito também será descobrir o que viemos fazer neste plano material. Há um propósito para nossa permanência no planeta. Deus queria deixar o mundo melhor e nos escalou para isso. Como um técnico de futebol que conhece a potencialidade e as habilidades de seus atletas, Deus nos colocou em campo para realizarmos a melhor partida da nossa vida. Ocorre que quando entramos em campo ficamos a reclamar que o adversário é muito difícil. E muitos abandonam a partida antes do término. Muitos desanimam. Mas como iríamos demonstrar nossa capacidade e talento se não jogássemos com um adversário exigente? Tem graça ganhar a partida de um time reconhecidamente fraco? Há méritos em conquistar um campeonato em que quase todos os adversários são bem inferiores ao nosso time? É claro que não. O que seria do Palmeiras se não fosse o Corinthians, e vice-versa? Nada. Um depende da grandeza do outro. A mesma coisa se dá na atividade comercial. Um comerciante estava estabelecido há anos num determinado bairro sem nenhum concorrente. Prestava um serviço de qualidade mediana, porque a ausência de concorrentes mantinha a clientela fixa. Mas bastou que alguém se estabelecesse no mesmo ramo próximo ao seu comércio para que se visse obrigado a oferecer melhor serviço e preço. O empresário inteligente não tem medo da concorrência, ao contrário, faz dela uma aliada para aprimorar constantemente seu produto e sua maneira de lidar com o cliente. Quando assim procede, podemos dizer que ele está desenvolvendo seu espírito na conquista da evolução, do crescimento, do desenvolvimento das habilidades até então adormecidas.

Ser espiritualista é ser um eterno aprendiz, é estar aberto para o novo, é reciclar conhecimentos, experiências e atitudes. É fazer da nossa vida uma viagem rica de aprendizado e experiência, desenvolvendo nossos talentos. Quando realizamos o propósito da nossa alma, quando ela se enche de alegria e de satisfação interior, realizamos o propósito que Deus teve com a nossa vinda passageira a esta dimensão material. Será que vivemos como espíritos?

> **"Ninguém deve ser o profeta da morte nem imitar a coruja agourenta. Mas, enquanto você guardar oportunidade de amealhar recursos superiores para a vida espiritual, aumente os seus valores próprios e organize tesouros da alma, convicto de que sua viagem para outro gênero de existência é inevitável."**
>
> André Luiz[51]

Olhe o sofrimento com outras lentes

Em muitos anos de atividades ligadas ao Espiritismo, sou alvo de perguntas das mais variadas, vindas de todas as partes do Brasil. Mas a indagação mais freqüente que me fazem é a seguinte:

– De Lucca, não agüento mais sofrer. O que posso fazer para me ver livre de tantos problemas?

De tanto ser questionado sobre o assunto, aprontei-me em pesquisar o que a Espiritualidade escrevera a respeito. Encontrei em André Luiz, um dos espíritos que se comunicaram por intermédio de Chico Xavier, orientação prática para lidar com o sofrimento:

"Se você está sob a pressão de algum problema, recorde que desespero ou desânimo não oferecem amparo algum. Peça a Deus a coragem para suportá-lo, evitando queixas e lutas que fariam de você um problema difícil para os outros e, trabalhando e servindo em silêncio, com paciência e bondade, você observará que Deus transformará os outros em canais de socorro espontâneo, em seu favor, pelos quais encontrará você a necessária e a melhor solução"[52].

O amigo espiritual fala ao nosso coração aflito diante do sofrimento. Todos, sem exceção, cruzarão algum dia o caminho da dor. Aliás, ninguém escapará. A orientação de André Luiz é bálsamo para esses momentos, embora semelhante ao remédio que somente faz efeito uma vez utilizado.

O primeiro aspecto a ser notado no conselho espiritual se refere aos comportamentos prejudiciais que, em regra, adotamos nos momentos de dificuldades. Na hora da dor, o desespero e a revolta não cooperam para a melhoria que desejamos. O desânimo é péssimo companheiro, enfraquece nossas forças físicas e morais. Confesso que nunca vi um desanimado feliz. Quem perde o ânimo, perde também a vontade de viver e, por conseqüência, torna-se indisposto, enfermo, sem vitalidade para vencer obstáculos. A propósito, o teólogo e psicólogo Jean-Yves Leloup esclarece:

"Desejando viver, afirmamos que a vida deseja viver em nós"[53].

Quem, contudo, perde a vontade de viver expulsa a vida de si mesmo e caminha, a passos largos, para a morte. Por isso, é preciso manter acesa a chama da esperança. O desespero é falta de esperança. O vocábulo "esperança" vem do latim *sperare*, que significa "esperar", "aguardar bons acontecimentos". Quem tem esperança confia em dias melhores, pois sabe que a dor é transitória. Certa vez, quando Chico Xavier atravessava momentos de intenso sofrimento, recebeu uma mensagem dos bons espíritos:

– Tudo passa. Tudo passa.

Como Deus quer a nossa felicidade, o sofrimento é passageiro, durará até o momento em que aprendermos a lição que o problema nos trouxe. O ponto mais escuro da noite é o prenúncio da aurora de um novo dia. Quem tem esperança mobiliza recursos poderosos para a resolução dos problemas, abre caminhos para a felicidade. A esperança não é apenas uma virtude consoladora, ela gera energias internas e externas predispondo ao êxito. É a fé que remove montanhas, nas palavras de Jesus. Por isso, a pessoa mais infeliz é aquela que perdeu a fé e a esperança.

Quando nos queixamos, acentuamos as dificuldades, pois tudo aquilo a que damos importância tende a crescer. Comparo a vida a uma receita de bolo; o fermento representa tudo o que valorizo. Se valorizar a paz, cultivando-a, terei paz em minha vida. Quando me queixo, dou valor ao que me falta, e assim a escassez é o resultado. Não é interessante observar como nossas dores aumentam depois que nos queixamos delas? Sinal de que a lamentação é um comportamento que nos deixa em pior estado.

A propósito, dia desses recebi um e-mail no qual se atribuía ao poeta Mario Quintana o seguinte pensamento:

Louco é quem não procura ser feliz com o que possui.

Se não devemos perder a esperança e nem lamentarmos, o que poderíamos fazer para melhorar a vida? André Luiz recomenda, primeiramente, orar a Deus pedindo coragem para suportarmos os problemas. A prece nos liga a Deus, é o fio condutor que possibilita a conexão com o Criador. Como Pai Amoroso que é, Deus nos inspirará coragem para vencer as adversidades, pois Ele quer a nossa vitória. Pela oração, abrimos os canais do auxílio divino para nossas dificuldades.

Não bastará orar. É preciso também trabalhar e servir, como afirmou o Amigo Espiritual. Não podemos simplesmente orar e ficarmos de braços cruzados. Deus não fará por nós a tarefa que nos compete realizar. Deus age por intermédio das nossas atitudes. Se não me movimento na busca das soluções para meus problemas, o auxílio do Alto não tem como me envolver. Quando estamos doentes, vamos ao médico e obtemos a receita. A cura vem não só porque fomos ao médico, mas porque tomamos os remédios prescritos. Ninguém ficará curado olhando a receita. Você não melhorará pelo simples fato de ler este livro, mas atingirá a cura espiritual se praticar os ensinamentos propostos. É novamente Chico Xavier quem nos socorre com sua palavra esclarecedora:

"Muita gente nos procura e pede orientação, a orientação vem, frustrando aqueles que esperavam uma solução acabada para o seu caso... Às vezes, o problema é de perdão, é de ódio. Os Espíritos Amigos nos aconselham o entendimento, o olvido das ofensas recebidas... Se não queremos esquecer, o que é que eles poderão fazer?"[54]

Deus nos ama incessantemente, seu amor se derrama continuadamente sobre toda a criação. Ele não precisa ser chamado para auxiliar, Ele é o eterno auxílio, a eterna cooperação, o eterno amor sempre pronto a nos alcançar. O que nos faz receber o amparo é a capacidade de agir em sintonia com Deus. Estar em sintonia com Deus é estar em sintonia com o amor. Quando sou bom, o bem se fixa em mim por semelhança. Ser uma boa pessoa é ser alguém que age no bem, não bastando ter boas intenções, carece ter boas ações, boas atitudes. Uma vida feliz depende de atitudes felizes.

Quando pequeno, minha mãe cantava uma canção que dizia mais ou menos assim: "Vem caminheiro, o caminho é caminhar, vai peregrino seu amor testemunhar..." Se pararmos de caminhar, os problemas se agravam. Pessoas felizes não são aquelas que nunca caíram, são aquelas que se levantaram depois das quedas. Será que você não parou de caminhar? Como queremos que Deus nos ajude se estamos inativos? Somente quando tomamos atitudes positivas é que Deus poderá nos guiar pelos caminhos da felicidade, livrando-nos dos atalhos perigosos e aproximando-nos de pessoas e situações que nos serão a chave da solução dos nossos problemas.

Pontes ou muralhas?

Como esclareceu André Luiz, Deus transforma pessoas em canais de socorro espontâneo a nosso favor. Deus ajuda as criaturas por meio das próprias criaturas.

Para que isso ocorra, porém, é preciso que, de nossa parte, sejamos, também, pontes de auxílio aos que sofrem.

Essa idéia de "ponte" é deveras interessante, pois o auxílio de que precisamos só chegará pelas pontes que construímos no auxílio ao próximo. Como diz um antigo provérbio chinês: "Quando tiro alguém do buraco, este de onde o tirei servirá para enterrar o meu próprio problema". Recordo-me de que tive uma funcionária, cujo filho estava com um grave problema de saúde. Ela trabalhava longe de casa e por isso me solicitou transferência para um posto de serviço próximo de sua residência. Meu primeiro impulso foi de negar a remoção, pois era excelente funcionária e seu afastamento acabaria me trazendo problemas. Mas, passados alguns dias, como ela insistia no pedido e estava muito aflita com o problema do filho, acabei atendendo a seus apelos. Nunca mais tivera notícias sobre a servidora. Anos mais tarde, eu estava trabalhando num local que me desagradava, por razões que aqui não cabe discutir. Queria uma transferência, mas não tinha para onde ir. Numa tarde, porém, recebo um telefonema inesperado. O responsável por uma outra repartição pública, a quem não conhecia, convidava-me a trabalhar com ele num posto de serviço que havia muito eu desejava. Surpreso com o convite, perguntei-lhe como ficara sabendo a meu respeito. Soube, então, que havia sido indicado por aquela funcionária com cuja transferência eu concordara anos antes.

Felicidade, em essência, é mera devolução, pois cada um sempre recolhe da vida o que a ela dá. Não por outra razão, o Espírito Paulo afirmou que na prática da caridade está o destino do homem sobre a Terra[55]. Já pensou no que isso significa? Paulo está falando que o nosso destino depende da caridade! Que vamos fazer, doravante? Estão aí passos seguros para a libertação de nossos sofrimentos. Se quiser uma fórmula para superar a dor, eis a prescrição espiritual:

Esperança + Ânimo + Oração + Caridade = **Felicidade**

"Quem mais sofre no mundo
é quem tem mais tempo para si mesmo."
Chico Xavier[56]

Comprometa-se com seus objetivos

Conta-se que um homem deu sinal a um táxi e ao entrar no veículo o motorista lhe pergunta para onde desejava ir, ao que o passageiro responde: – Ah, meu senhor, como estou perdido, qualquer lugar serve.

É assim que muitas pessoas se encontram na vida. Perdidas. Não sabem onde estão nem aonde querem chegar. Não têm metas, experimentam muitos caminhos, pulam de galho em galho, mudam a todo instante de escola, de emprego, de relacionamento, de religião... Geralmente, têm muitos projetos não concluídos, muitos amores não amados, muitos sonhos transformados em frustrações. Dois problemas muito comuns costumam ocorrer:

- ausência de objetivos definidos;
- falta de comprometimento com seus sonhos.

Conheço pessoas que trabalham, lutam, sofrem, mas não sabem o que desejam da vida. Pergunto a elas sobre suas metas, aonde querem chegar, qual o sentido de sua vida e poucas conseguem me dar respostas concretas. A maioria responde: "não sei", "ainda não descobri", embora já tenham vivido mais da metade de sua existência. Muitas estão na faixa dos 40 anos, queixam-se do ofício que exercem, porém não sabem dizer em que gostariam de trabalhar. Estão insatisfeitas com sua vida, contudo não são capazes de apontar como gostariam de viver. Faltam-lhes objetivos de vida. Esquecemos que a vida acontece enquanto imaginamos o que vamos fazer.

A pessoa que tem objetivos definidos, que tem metas a curto e a longo prazo, que nutre ideais superiores, não apenas encontra motivação para atingir seus alvos, como também direciona seus esforços na conquista de seus sonhos. Essa motivação produz energia espiritual e vigor físico para que alcancem os objetivos traçados, superando os naturais obstáculos que toda conquista apresenta. A vida tem um propósito para cada um de nós. Realizar esse propósito é deixar a vida fluir em nós, o que explica a jovialidade, a saúde, a beleza e a força das pessoas que têm objetivos e trabalham por eles. Quando, todavia, vivemos sem horizontes, sem saber para onde queremos ir, não realizamos o propósito de nossa alma e assim impedimos que as forças divinas encontrem espaço em nossa vida. Como conseqüência, tornamo-nos pessoas desmotivadas, apáticas, doentes, a caminho da morte.

Uma pessoa sem objetivos assemelha-se a um barco à deriva, desloca-se para onde as ondas a levarem. Quem tem alvos definidos, porém, torna-se senhor das ondas, domina as tempestades, conduzindo a embarcação para onde deseja. Somos senhores das circunstâncias e não vítimas delas. Poderemos atingir qualquer objetivo desde que saibamos qual é o nosso objetivo. Para tanto, ajuda muito nos fazer a pergunta sugerida por Anthony Robbins, um dos maiores especialistas em neurolingüística no mundo:

"Como vou viver os próximos dez anos de minha vida?"[57]

A questão proposta nos obriga a traçar metas de vida para, pelo menos, os próximos dez anos. Aliás, caro leitor, responda a estas perguntas antes que o tempo as responda para você. Nos próximos dez anos:

- De que maneira pretendo estar profissionalmente?
- De que forma gostaria de viver no âmbito da família?
- Como quero que estejam meus relacionamentos amorosos?
- Que tipo de saúde pretendo ter daqui a dez anos?
- Como desejo que minhas finanças estejam até lá?
- Como almejo me ver espiritualmente daqui a uma década?

É fundamental que tais questões sejam respondidas e, de preferência, anotadas, a fim de que possamos consultá-las todas as vezes que perdermos o foco de nossas metas. Anotemos, também, aquilo que não mais aceitaremos em nossa vida. Por exemplo, uma pessoa viciada em jogo de bingo contou-me que, após dez anos de jogatina ininterrupta, decidiu que não aceitaria mais voltar a jogar. E não voltou. Por que atingiu sua meta? Porque teve um objetivo e estava comprometida com ele. Aqui está o segundo aspecto importante da questão. Não basta saber o que queremos. É preciso estar comprometido, de corpo e alma, com aquilo que queremos. O comprometimento é fundamental, pois sem ele abandonamos nossos sonhos na metade do caminho.

Temos de ser fiéis conosco, pararmos de sabotar a própria felicidade.

Quando concluímos por atingir determinado alvo, não basta termos a simples intenção de alcançá-lo. A intenção é fraca, não é comprometedora, por isso facilmente descumprida. A intenção é um querer não querendo, é um "quem sabe". Por isso não levamos adiante a reeducação alimentar, não concluímos os estudos, não terminamos a leitura do livro, não voltamos à academia depois da primeira semana, não concluímos o tratamento espiritual, não...

E aí nossa vida é uma seqüência de "quases": quase me formei, quase emagreci, quase tive saúde, quase amei, quase li o livro, quase entrei no vestibular, quase passei de ano, quase...

O que torna um objetivo passível de ser alcançado é a decisão que tomamos de atingi-lo. A decisão é forte, poderosa, porque gera convicção e confiança quanto ao alvo a ser conquistado. A intenção somente gera um "pode ser". A decisão implica a certeza de um "será".

Quando se toma uma decisão, aquela que emerge das profundezas da nossa alma, sentimos que todo o nosso corpo tomou a decisão, somos dotados de uma força explosiva que nos permite derrubar qualquer obstáculo que impeça a conquista dos nossos sonhos.

Essa decisão, aliás, gera a certeza íntima de que subiremos ao pódio da vitória. Eu tenho certeza que é lá que você quer e merece estar. O primeiro passo será, a partir de agora mesmo, traçar seus objetivos para os próximos dez anos da sua vida e assumir o compromisso de que tudo fará para atingir suas metas. Nos próximos dois capítulos, ainda vamos conversar um pouquinho mais sobre esse assunto. Espero que você esteja empolgado em saber como pode mudar sua vida.

> "É nos momentos de decisão que o seu destino é traçado."
> Anthony Robbins

Eu mereço, eu sou capaz!

Como lhe soa na alma a frase que abre este capítulo? Pare e reflita, ou melhor, pare e sinta. Veja se acredita que merece ser feliz e que é capaz de conquistar seus objetivos. Se responder apenas com a lógica, vai afirmar que sim, pois racionalmente todos querem o melhor para sua vida. Eu gostaria que você meditasse na pergunta lá no fundo das suas emoções. Verifique quais sensações emergem quando afirmar que merece ser feliz e que é uma pessoa plenamente capaz de realizar seus sonhos. Identifique as sensações, sinta se elas são afirmativas ou negativas. Faça uma pausa na leitura para a sua reflexão.

Como foi a experiência? Espero que tenha sido útil. É provável que tenha identificado algumas sensações ou idéias negativas a respeito do assunto, como se algo dentro de você duvidasse, ou até mesmo negasse, o seu valor e a sua capacidade. Por vezes, cremos, sim, que somos dignos de sermos felizes, todavia não nos julgamos em condições de realizar nossos sonhos, ou ao contrário, julgamo-nos competentes, mas sem mérito para a felicidade.

Tenho detectado esses sentimentos em centenas de pessoas que me procuraram buscando orientação e esclarecimento à luz do Espiritismo. Em muitas delas, esse processo já é bem consciente; estão convictas de que a palavra felicidade não faz parte do dicionário de sua vida, tampouco amor, prosperidade, saúde e ventura familiar. Quando algo de bom lhes ocorre, desconfiam de que uma tragédia esteja por surgir e nem conseguem desfrutar a situação feliz, pois no fundo não se sentem merecedoras. E assim passam a vida esperando o pior; e o pior acontece para confirmar a profecia negativa. Ao longo da nossa vida, vamos formando um sistema de convicções, fruto de como interpretamos as ocorrências que nos sucederam. Vamos a dois exemplos:

1. O professor, tentando repreender o aluno que não ia bem nos estudos, chama-o de burro e incompetente. Pode ser que o menino não dê atenção ao mestre, ignorando os insensíveis adjetivos que ele lhe deu. Mas pode ser que a criança, naturalmente frágil e influenciável, aceite as críticas como verdades inquestionáveis. E aquilo que era opinião do professor passou a ser também a opinião do aluno. Quando o menino incorpora a verdade do instrutor como uma verdade sua, temos aí formada a crença ou convicção. A partir de então, todas as vezes em que o aprendiz, não importa

mais a idade que tenha, tiver de dar mostras de seus conhecimentos e de suas capacidades, vai se comportar como um burro e um incompetente, pois é assim que ele acredita ser, é assim que ele se vê. E quando não se sair bem numa prova, no vestibular, numa entrevista de emprego, vai dizer: "Eu já sabia que seria assim. Eu não tenho sorte, não nasci para o estudo".

2. A menina presencia constantes discussões no lar. O pai, violento, vive embriagado e ainda por cima tem relações extraconjugais. A mulher não suporta mais a convivência e expulsa o marido de casa. Revoltada e tomada de ira, a mãe explica a separação para a filha e diz que homem nenhum presta e que são todos safados. Pode ser que a criança nem dê muita atenção à mãe (que bom seria). Porém, é muito provável que ela, relembrando todas as cenas deprimentes do pai alcoolizado, agressivo e adúltero venha mesmo a crer que homem nenhum presta. Formou-se a convicção. Não precisa ser adivinho para afirmar que essa menina, no futuro, terá grandes dificuldades em confiar no sexo masculino, sobretudo quando o assunto for relacionamento amoroso.

Observe quantos condicionamentos limitantes formamos ao longo da nossa vida. Vejamos se dos nossos lábios não saíram frases do tipo:

- Quanto mais alto a pessoa sobe maior é o tombo;
- O sucesso é perigoso;
- Rico não entra no reino dos céus;
- Amar é sofrer;
- Sou um fracasso de pessoa;
- Não estudo porque sou pobre;
- Só é aprovado quem tem "cartucho";
- Estou velho demais para aprender;
- Isso não é para mim.

Tais crenças, idéias em que acreditamos piamente, representam condicionamentos limitantes que assumimos como "verdades" para a nossa vida. E o que assumimos como "verdade" passa a ser lei em nossa vida. Os exemplos dados nos possibilitam descortinar a idéia de que muitos dos problemas e obstáculos de hoje podem ter como causa as "verdades" que assumimos como lei, crenças destrutivas que impedem a felicidade. Se você leu o capítulo anterior (e recomendo que faça a leitura para bem compreender o assunto), lembrará da importância de termos objetivos definidos. Pois bem, de nada adiantará ter metas claras se não acreditarmos que merecemos o que idealizamos, bem como que somos capazes de atingi-las. Sem essas crenças positivas, acabamos sepultando nossos projetos de vida. Conheço muitas pessoas que têm tudo para serem felizes, têm objetivos definidos, têm potenciais incríveis, mas não decolam porque alimentam crenças destrutivas. A boa notícia, porém, é saber que essas crenças podem ser modificadas a qualquer momento. Basta querer. Veja o que ocorreu no seguinte caso:

Um homem religioso e muito inteligente procurou-me queixando-se de insatisfação profissional. Disse-me que era pós-graduado em administração de empresas por uma das melhores universidades do país, mas não conseguia ascensão profissional. Formado havia mais de 15 anos, com larga experiência em diversas empresas, não passava dos cargos confiados aos administradores em início de carreira. Quando estava prestes a receber uma promoção, com possibilidade de sensível aumento salarial, pois era um funcionário competente, ocorria algum fato que impedia seu progresso profissional. Ora ficava seriamente doente, ora envolvia-se em grave acidente e, noutras vezes, escolhiam outro em seu lugar sem nenhuma explicação plausível. Ele queria saber se tinha alguma perturbação espiritual que justificasse o problema. Pude perceber que se tratava de um homem muito correto, de boa índole, religioso praticante das virtudes cristãs, sendo improvável qualquer interferência espiritual negativa em vista do seu excelente padrão moral. Pude, no entanto, perceber que ele nutria idéias religiosas incompatíveis com a prosperidade material, pois, quando pequeno, sua mãe havia lhe ensinado que o dinheiro era a pior das tentações espirituais, que poderia levar qualquer um à ruína moral, ensinando-o que "era melhor se afastar da riqueza para não perder o reino dos céus". Foram essas as expressões textuais de que a mãe se valia e que o filho arquivara em seu subconsciente como uma verdade inconteste. Daí porque sua mente inconsciente encontrava meios de impedir a promoção, gerando doenças, acidentes e trapaças. O que a mente fazia era apenas defendê-lo de um "sério perigo", pois o novo cargo representaria substancial aumento de ganhos, e, portanto, um desastre espiritual de terríveis conseqüências.

Fiz ver a ele a razão de sua desdita, e pedi que fizesse as pazes com o dinheiro, esclareci-o dizendo que a riqueza não é boa, nem má, tudo depende do destino que a ela damos. Lembrei-lhe de que certos venenos que, utilizados com discernimento, são capazes de restabelecer a saúde. Falei a ele que o dinheiro gera progresso, emprego, pesquisa científica, conforto, tecnologia, conhecimento e uma série de benefícios sociais indiscutíveis. Ele se foi e disse que pensaria sobre o assunto.

Seis meses após, recebi uma carta em que ele me narrou que havia mudado suas idéias sobre a questão, ponderou que não havia razão lógica para continuar com as mesmas idéias obsoletas ensinadas por sua mãe. Contou-me que, após essa mudança mental, praticou as afirmações positivas contidas em um dos meus livros[58], conforme havia lhe ensinado, obteve a tão sonhada promoção ao cargo de gerente regional de uma das maiores empresas do país. Sei também que ele tornou-se dedicado mantenedor de uma instituição de auxílio à infância abandonada. É o rico que passou facilmente pelo buraco de agulha.

Os espíritos de luz têm dito que somos o que acreditamos ser. Há um ditado que afirma: "Você é do tamanho dos seus sonhos". Eu reformaria a idéia:

Você é do tamanho que acredita ter.

A vida é ilimitada, nós é que pomos limites com crenças negativas a respeito das nossas possibilidades. Escrevi este capítulo quando passava férias em Maragogi, Estado de Alagoas. Estava de boca aberta diante das belezas naturais do local, não me cansava de olhar o mar azul, as areias quase intactas, pensava na vida complexa das profundezas do oceano, ao mesmo tempo que, à noite, admirava o céu engastado de estrelas que brilhavam como diamantes e me dei conta de como a vida é profunda, rica, exuberante, infinita, indimensionável. Nossas crenças negativas são como cercas que colocamos na imensidão da vida; elas delimitam até onde poderemos ir. E nossas cercas são tão estreitas, tão próximas do óbvio... Podemos avançar pelo espaço incomensurável das oportunidades e nos prendemos num quintal de pequeninas proporções. Mas hoje mesmo você poderá derrubar os estreitos muros que o impedem de chegar aos objetivos desejados. É de Anthony Robbins o formidável exemplo:

"Duas mulheres completam setenta anos, mas cada uma assume uma visão diferente do fato. Uma sabe que sua vida se aproxima do fim. Para elas, sete décadas de existência significam que o corpo deve estar se deteriorando, e é melhor começar a encerrar todas as suas questões inacabadas. A outra conclui que a capacidade de uma pessoa em qualquer idade depende de sua convicção, e fixa um padrão mais elevado para si mesma. Decide que escalar montanhas pode ser um bom esporte para se começar aos setenta anos. Durante os vinte e cinco anos seguintes, ela se devota a essa nova aventura, escalando alguns dos picos mais altos do mundo, até que hoje, na casa dos noventa anos, Hulda Crooks tornou-se a mulher mais velha a escalar o Monte Fuji"[59].

Na história apresentada, as duas mulheres passaram pela mesma situação (completaram 70 anos), ocorre que cada uma reagiu de forma diferente. Por quê? Por certo em razão das crenças que tinham sobre a chamada "terceira idade". A primeira acreditava que aos 70 anos era melhor se preparar para morrer. A outra julgava que ainda tinha muito a fazer, que a idade nem mesmo era impedimento à prática de esportes. A história não registra, mas posso apostar que a primeira já estava morta quando Hulda Crooks subiu o Monte Fuji. Destino? Não creio. Apenas o resultado das crenças. Hulda tinha uma crença fortalecedora, ao passo que a primeira manifestava uma convicção destruidora.

Será que não chegou a hora de você também escalar montanhas mais elevadas? Será que não precisa derrubar aquela cerca que o segura num mundo tão pequeno e que o impede de realizar seus sonhos? Porventura não soou a hora de tomar posse da sua condição de filho de Deus, merecedor, portanto, de uma vida feliz, acabando, de uma vez por todas, com os mecanismos de fuga do "eu não mereço", "eu não consigo", "ninguém me quer", "sou feio", "ninguém me ajuda", "eu sou doente", "estou velho demais"? Chega de tanto sofrimento decorrente desse aprisionamento mental que impede o progresso, seja ele material ou espiritual, e a felicidade que Deus preparou para você. Derrube aquele homem pequeno, aquele homem deitado que você pensou que fosse, acabe com aquela mulher insegura que você acreditou que existisse, extermine a pessoa doente e fraca que você vem sustentando interiormente todos esses anos. Eles só existirão enquanto você os sustentar, eles são como balões que desaparecem quando são soltos no ar. Agora volte à sua lista de objetivos e olhe um por um com aquela certeza e confiança de que você merece todos eles e de que será capaz de alcançá-los. Se desejar, aproveite este exercício de visualização:

> Imagine-se num estádio repleto de pessoas que ali compareceram para homenageá-lo. Há muita gente feliz com o seu progresso. Todos querem cumprimentá-lo pela conquista dos seus objetivos. Sinta-se que já conseguiu aquilo que mais deseja em sua vida. Vamos, impressione bem a sua mente de que isso é real, é verdadeiro. Agora veja um pódio à sua frente, está à sua espera. Suba ao local destinado ao campeão. Suba, o lugar é seu, você conquistou, fez por merecer. As

pessoas o aplaudem de pé e você diz: "Eu mereço, eu sou capaz de ir muito mais além". Você se emociona, derrama lágrimas de alegria por estar vivendo a vida que Deus sempre quis para você. Pode chorar, eu o aguardo no próximo capítulo.

**"Quer você pense que é capaz,
quer pense que não é, você está certo."**
Henry Ford

Quem sabe faz a hora...

"**Houve um homem que morreu** e viu um lugar lindo, rodeado de todo o conforto concebível. Um ser vestido inteiramente de branco veio até ele e disse:
– O senhor aqui pode ter qualquer coisa que desejar; qualquer iguaria, qualquer prazer, qualquer tipo de entretenimento.
O homem ficou encantado e, por vários dias, deliciou-se com todos os manjares e deleites com que sonhara na Terra. Um dia, porém, entediou-se daquilo tudo e, chamando o atendente de trajes brancos, explicou:
– Estou cansado disso tudo. Preciso de alguma coisa para fazer. Que tipo de trabalho você me pode oferecer?
O atendente de branco sacudiu a cabeça melancolicamente e respondeu:
– Sinto muito, meu senhor. Essa é a única coisa que não lhe podemos oferecer. Não há trabalho aqui.

Ao que o homem retrucou:
– Essa não! Eu poderia bem estar no inferno.
O atendente respondeu com brandura:
– E onde o senhor pensa que está?"[60]

Nos dois capítulos anteriores, vimos a necessidade de ter objetivos definidos e a importância de acreditar nos próprios sonhos. Agora estamos prontos para a etapa final que nos levará às conquistas que tanto almejamos. É o momento da ação. Não basta ter objetivos, não adianta acreditar que é possível atingi-los se não nos movimentarmos em atitudes que nos levem ao rumo desejado. Conheço um número expressivo de pessoas que sofrem porque não agem. São peritos em esboçar sonhos, ótimos planejadores, mas péssimos executores. Vivem cercados de ansiedades e expectativas por aquilo que pensam realizar, mas como o sonho não sai do papel, ele se transforma em pesadelo. Habitam o mesmo inferno referido na história que abriu este capítulo, o pesadelo da acomodação. Jesus de Nazaré já conhecia essa característica de muitos de nós. Você lembra da parábola que Jesus contou sobre os talentos? Vou narrá-la a seguir, de maneira resumida, para facilitar a nossa conversa. Veja se você se reconhece na história.

Um homem, pretendendo viajar para longe, chamou seus empregados e confiou-lhes os seus bens. A um deu cinco talentos; a outro, dois e a outro, um. Tendo ele partido, o empregado que recebeu cinco talentos negociou com eles, e conseguiu outros cinco. Da mesma forma, o que recebeu dois, conseguiu mais dois. Mas o que recebeu um foi e cavou um buraco na terra e enterrou o talento, escondendo-o.

Muito tempo depois voltou o patrão e pediu aos empregados a administração dos talentos. Aproximou-se o que recebeu cinco talentos e trouxe-lhe outros cinco, o que agradou muito ao senhor. Depois se aproximou o outro que tinha recebido dois talentos, tendo apresentado outros dois granjeados, para a alegria do patrão. Finalmente, o que tinha recebido um talento disse ao patrão: "Senhor, fiquei com medo de perder o seu talento e o escondi na terra, ei-lo de volta".

Em resposta, o patrão lhe disse: "Empregado mau e preguiçoso, devia pelo menos ter dado o meu dinheiro ao banqueiro para que eu recebesse os juros. Tire-lhe o talento para que eu o dê ao que tem dez talentos. Lançai o servo inútil às trevas; ali haverá choro e ranger de dentes".*

Foi Rubem Alves quem afirmou haver ocasiões em que não há tempo para delicadezas e rodeios[61]. Por isso vou direto à ferida. Com raras exceções, quase todos nós nos assemelhamos ao empregado que enterrou o seu talento, pelo menos em algum setor da nossa vida. Assim nos comportamos quando simplesmente encobrimos nossos sonhos no buraco da omissão. Como

---

* Você encontra o texto na íntegra no Evangelho de Mateus, 25: 14-30.

previu Jesus, os omissos serão lançados às trevas, onde haverá choro e ranger de dentes. É claro que Jesus não se referia a um determinado lugar na geografia espiritual, mas a um estado emocional de profundo sofrimento. Esclareceu Chico Xavier que a maior aflição de um espírito após a sua desencarnação é tomar consciência do tempo perdido[62]. Os espíritos de luz afirmam que a grande maioria das pessoas tem desprezado 50, 60, 70 por cento e, freqüentemente, até mais, das possibilidades construtivas que a vida oferece[63]. A hipótese mais otimista é de que, com raríssimas exceções, estamos realizando apenas 50 por cento do que nos é possível realizar. Somos homens pela metade!

Ai, que preguiça...

Quais as causas de nossa omissão? Por que não nos lançamos ao trabalho que nos cabe? Algumas razões podem ser pensadas. A primeira delas foi detectada por Jesus quando chamou o terceiro empregado de preguiçoso. A preguiça é uma adversária perigosa que necessita ser combatida sem tréguas. Se der ouvido a ela, você não sai da cama nem tira o pijama. Enquanto isso, a vida segue, as oportunidades passam e o tempo perdido nunca mais volta. Veja o que disse Benjamin Franklin:

"A preguiça caminha tão lentamente que é sempre alcançada pela pobreza"[64].

Aliás, você já percebeu que quanto mais tempo ficamos sem nada fazer, mais vontade de não fazer nada nos dá? A verdade é que, tanto o corpo, como o espírito, precisam de movimento. Hoje, a ciência médica proclama os grandes benefícios que a atividade física traz para o corpo e para a mente. A ociosidade também representa um perigo para a saúde. A atividade intelectual regular faz com que os neurônios estejam sempre se renovando, gerando benefícios preciosos para a saúde como um todo. Não se ignora a necessidade de repouso, contudo a preguiça nasce quando queremos descansar além do necessário.

A *Bíblia* afirma que Deus nos manda ganhar o pão com o suor do nosso rosto[65]. É pelo esforço que desenvolvemos nossas aptidões físicas, emocionais e espirituais. Deus nos criou com os recursos necessários a uma vida feliz; ocorre que esses talentos se encontram em estado latente, precisam ser desenvolvidos por intermédio do nosso esforço diário. Trazemos o germe de todas as possibilidades evolutivas. Deus plantou em cada um de nós a semente do gênio, do anjo, do cientista e do artista. Se a terra for cultivada, a semente desabrocha. Se a terra for esquecida, a semente morre sufocada por falta de cuidado. Certamente por isso o Espírito Emmanuel afirmou que o trabalho é a nossa certidão de identidade do ponto de vista espiritual[66].

Norman Vincent Peale, escritor e teólogo americano, afirmou que um dos problemas da nossa geração é saber como impedir os jovens de sofrerem os efeitos de uma civilização que se dedica a perseguir o luxo e a evitar o esforço. Há 100 anos, adverte o doutor Peale, havia lenha para ser cortada, água para ser carregada, animais para serem alimentados. Agora, não há mais. Estamos correndo o risco de roubar de nossos filhos sua maior herança: a luta[67]. Será que muitos de nós já não perdemos essa herança? Será que não precisamos readquirir a capacidade de lutar por nossos sonhos?

Eu realizava uma palestra para um grupo de 100 jovens em fase pré-vestibular. Perguntei-lhes qual era o maior sonho que tinham na vida, aonde queriam chegar na idade adulta. Eles responderam, na sua grande maioria, que tinham por meta a aposentadoria. Meu Deus! Candidatos ao ócio, ao choro e ao ranger de dentes do *Evangelho*.

O grande ladrão

Na parábola, Jesus ainda oferece outra pista para as causas da nossa protelação. O empregado preguiçoso justificou perante o patrão que não multiplicou o talento com medo de perdê-lo. O medo, esse grande carcereiro das nossas possibilidades de progresso... Quantas vezes deixamos de nos lançar ao trabalho com medo do fracasso? E ficamos a perguntar:

- ♦ E se não der certo?
- ♦ E se eu perder?
- ♦ E se ninguém comprar?
- ♦ E se ninguém gostar?
- ♦ E se eu der vexame?

- E se ninguém for?
- E se eu for à falência?
- E se ele disser não?
- E se rirem de mim?
- E se...

Depois de tantos "se", é provável que venhamos a enterrar nosso talento num buraco bem fundo. Está claro que, na verdade, nosso medo é o medo de sofrer. Muitas vezes não arriscamos com medo de sofrer a dor do fracasso. E assim preferimos não agir para não sofrer. Mas, curiosamente, não agir é sofrer. É isso que precisamos compreender e inverter as coisas. Devemos temer, essa sim, a dor que surge da omissão, do remorso de não ter arriscado, de não ter lutado por nossos objetivos, de não ter tentado outra vez. Já contei a história do meu ingresso na carreira da magistratura. Havia feito três concursos sem obter sucesso, embora estivesse bem preparado tecnicamente. Com o orgulho ferido, desisti de novas tentativas. Na verdade, eu não queria mesmo era sofrer a dor de uma nova reprovação. Seria demais para mim.

Um dia, porém, minha mulher perguntou-me como me sentiria se futuramente me arrependesse de não haver tentado outra vez. Foi uma pergunta fulminante. Ela me trazia um novo olhar sobre a questão. Imaginei-me bem mais velho, profundamente arrependido e amargurado por não ter insistido outras vezes. Essa dor era infinitamente maior do que a dor que sentiria se novamente reprovado fosse. No último dia de inscrição, eu estava às portas do Tribunal de Justiça, a poucos minutos de as inscrições se encerrarem. Tinha uma opção a fazer: com que dor eu iria ficar? Com uma dor do tamanho do mundo, que é a dor do arrependimento de não tentar outra vez, ou com uma dor incerta, um suposto sofrimento decorrente de uma nova reprovação?

Optei pela dor menor, pela dor que poderia nem doer, e fiz a inscrição. Disse para mim mesmo que não queria envelhecer e dizer aos meus filhos que eu tinha sido fraco. Poderia não ser aprovado, mas legaria a eles o exemplo de alguém que lutou por seus sonhos até o fim. E acabei sendo aprovado naquele concurso. A pessoa fracassada não é a que foi derrotada, é a que abandonou o jogo antes de ele acabar. Venci o medo de sofrer. Aprendi que o maior inimigo que tinha estava dentro de mim. Minha história tem inspirado muitas pessoas a vencerem seus medos. Várias pessoas que hoje são juízes, promotores e advogados têm me escrito contando como a minha experiência os ajudou a superarem seus medos. Há uma frase de Theodore Roosevelt, que conta muito:

"O medo tem medo dele mesmo e recua quando você o enfrenta."

Era possível que eu também não fosse aprovado. E daí? O que isso me diminuiria? Nada, absolutamente nada. Pessoas felizes não são aquelas que jamais enfrentaram derrotas ou decepções, são aquelas que nunca perdem a confiança em si próprias quando tudo parecia perdido. Elas nunca entregam os pontos mesmo que extenuadas pelas dificuldades, pois continuaram agindo em busca de novos caminhos e dias melhores. Elas cantam com Geraldo Vandré a canção da esperança:

> "**Vem, vamos embora,**
> **que esperar não é saber.**
> **Quem sabe faz a hora**
> **não espera acontecer."**

As dores da alma

Recuo no tempo para voltar ao dia em que minha mãe partiu para a outra margem da vida. Como filho mais velho, envolvi-me nos procedimentos destinados ao sepultamento. Cuidei dos mínimos detalhes. Tudo bem simples, bem ao estilo de dona Manoela, católica fervorosa e praticante. Era uma homenagem que senti devesse prestar a ela, pálida homenagem, é verdade. Mas também foi a forma que encontrei para tentar driblar a dor que me aguardava, ansiosa: a dor da separação. Durante o velório, bancava o durão, agia com uma frieza improvisada, preocupava-me em receber amigos e familiares, endereçando-lhes palavras de conforto. Nem parecia que eu era o filho que perdera a mãe. Muitos exclamaram surpresos: "como você é forte!"

A fortaleza caiu no dia seguinte. Já não havia preparativos a tomar, avisos a dar, flores a comprar. Era hora de encontrar o vazio. Todos sentirão, ou sentiram, algum dia vazio semelhante.

A perda de um ente querido, a separação amorosa, o desastre financeiro, a doença grave são apenas alguns dos buracos que se abrem na alma. São as situações em que, segundo o doutor Marco Aurélio Dias da Silva, o anormal talvez fosse não ficar deprimido[68]. Até mesmo Jesus chorou quando soube da morte de seu amigo Lázaro[69]. Nas horas em que a dor surge insuportável, pouca ou nenhuma valia terão os conselhos do tipo: "isso não é nada", "você logo arruma outra pessoa", "a hora dele chegou". Essas palavras, cheias de lógica e vazias de sentimento, podem ser vistas como ácidos que despejamos sobre ferida aberta.

Não devemos fugir da dor, colocá-la debaixo do tapete, pois assim perderemos a oportunidade de encontrar os tesouros ocultos escondidos em cada lágrima que se derrama. Toca-me profundamente a sensibilidade de Joseph Campbell:

"É com a descida ao abismo que resgatamos os tesouros da vida.
Onde você tropeçar, lá estará seu tesouro.
A própria caverna da qual você tem medo acaba sendo a fonte do que você procura"[70].

É preciso aceitar a dor, senti-la, encará-la, pois somente assim poderemos sair da tristeza. Jesus afirmou que felizes eram os que choravam, porque seriam consolados[71]. Quem não deixa as próprias lágrimas rolarem pelo rosto amargurado não pode ser consolado. Quando aprisionamos a dor, ela não tem como ir embora. Só conseguimos superar o que foi aceito pela alma. Foi muito feliz o psicólogo Robert Holden ao escrever a "Declaração de Aceitação"[72]:

- Sem aceitação, a raiva vai tomar conta de você.
- Sem aceitação, a culpa o fará sentir-se envergonhado.
- Sem aceitação, o julgamento o condenará.
- Sem aceitação, a ansiedade o atormentará.
- Sem aceitação, a tristeza o deprimirá.
- Sem aceitação, o medo o aterrorizará.
- Sem aceitação, a dor o machucará.
- Sem aceitação, a solidão o isolará.
- Sem aceitação, o amor não o amará.

O olhar de aceitação das nossas dores é capaz de operar milagres. Por isso, a despeito de qualquer convicção religiosa que venhamos a ter, é humano chorar, diria mesmo que é fundamental que sintamos a dor que nos envolve, deixá-la vir das profundezas escuras do ser para então receber a luz da compreensão e do cuidado. A palavra "cuidado" vem do latim *cura*. Somente pode ser curado quem se permite ser cuidado. Ao tentar estancar o choro da criança, a mãe não lhe põe mordaça; antes procura identificar as necessidades do filho. Pode ser fome, pode ser frio, pode ser sono, pode ser dor de ouvido. Conhecida a causa, a mãe oferece o cuidado necessário. Banho, sono, cobertor, mamadeira etc. E o choro desaparece. Se a criança não chorasse, a mãe nem sequer saberia de suas dores.

Algo semelhante ocorre com as dores da alma, elas são gritos alertando que algo precisa da nossa atenção. Se as reprimirmos, perderemos a oportunidade de identificar as necessidades do nosso espírito, e com isso impediremos a cura das feridas interiores. Não haverá consolação, porque não haverá tristeza sentida, não haverá tristeza chorada. Precisamos nos ouvir, ouvir nosso corpo, ouvir nosso coração, escutar nosso espírito. O que as dores querem nos falar? Que recados estão dando? Que alertas estão fazendo? Quanto mais surdos estivermos, mais barulhos farão, equivale dizer, mais sofrimentos teremos. Por isso, proclamam os místicos de todos os tempos que o crescimento espiritual não passa de um despertar. O sofrimento é o despertador que Deus utiliza para nos acordar. Quando, porém, percebemos nossas necessidades interiores e oferecemos a atenção devida, a dor cede lugar à felicidade; Deus desliga o alarme do sofrimento. Houve um despertar para nossos anseios de paz, amor e alegria. É disso que nosso espírito carece: paz, amor e alegria. De que mais precisa?

O doutor Bernie Siegel, médico clínico e cirurgião, profundo estudioso da relação corpo-mente, afirma que a doença pode ser o catalisador da transformação para as pessoas que passaram a vida inteira negando suas necessidades. E narra o depoimento de uma mulher que sofreu maus-tratos quando criança e depois como esposa, a qual expressou todas as coisas que pôde obter quando soube que estava com câncer:

"Ouvi minha sentença de morte há dois anos e meio, quando tinha sessenta e dois. Desde então, minha vida melhorou cem por cento e a estou desfrutando mais do que nunca. Tenho viajado muito, visitei mais de trinta museus, saio para dançar, nadar, namorar etc. durante os fins de semana e, o mais importante, tenho um namorado que me leva a jantar fora e ao cinema, e com quem mantenho um ótimo relacionamento sexual.

Faço planos para o futuro. Coisas admiráveis estão para acontecer em minha família – casamentos, nascimentos etc. – e espero estar presente em todas elas. Sou membro ativo de um grupo de apoio a pacientes de câncer e tenho conseguido ajudar muita gente. É provável que continue trabalhando, mas não quero perder um minuto de meu precioso tempo. Sempre quis ser professora e, por isso, agora dou muitas aulas particulares gratuitas numa faculdade e também no programa de alfabetização de adultos da biblioteca. Incidentalmente, minha tomografia recente mostrou ligeira redução no tamanho do câncer. Meu médico comentou: 'Essas coisas às vezes acontecem, não sabemos por quê'. E eu respondi: 'Eu sei por quê. Fiz com que acontecesse'"[73].

Gosto dessa história porque ela comprova que a dor pode se tornar uma dádiva quando sabemos identificar a mensagem que ela trouxe. É olhar para o sofrimento com outros olhos. No caso, a mulher percebeu o quanto estava se agredindo quando deixava suas necessidades de lado. A vida dessa senhora pode ser dividida em antes e depois do câncer. Só que depois da doença não sobreveio a morte. Ao contrário, surgiu a vida que ela não gozava antes de adoecer, exatamente a vida que ela não tinha quando era "saudável". Essa contradição poderia representar uma ironia se não soubéssemos que o câncer somente queria provocar-lhe uma alteração de vida radical e positiva. E como provocou! Que vida maravilhosa ela está levando! Antes da doença, sua vida era muita triste e violenta. Agora o câncer lhe proporcionou contato com suas feridas interiores, pedindo que elas fossem lavadas nas águas de rios caudalosos de amor. Não se pode furtar à conclusão de que hoje ela é mais feliz.

> Madre Teresa de Calcutá afirmou que a maior doença da humanidade é a ausência de amor.

Por isso o doutor Siegel prescreve o único tratamento capaz de curar esse mal: deixar entrar a luz amorosa e refazer-se com ela[74]. O sofrimento é o grito de alerta para a falta de amor em nossa vida. Ouçamos a voz da alma pedindo socorro. Ela precisa de amor. Só assim as feridas poderão cicatrizar de uma vez por todas.

**"A dor jamais será minha derrota.
Prometo. Na própria dor conhecerei a vitória."**
Miguel O. Riquelme[75]

Para ficar bem

Não há quem passe pela vida sem enfrentar alguma espécie de crise. São períodos mais ou menos longos de amarguras, doenças, desastres financeiros, privações, obstáculos, solidão afetiva, perseguições, conflitos íntimos, só para lembrar alguns exemplos. Nada obstante, as crises propiciam oportunidades valiosas de crescimento. Deonísio da Silva, estudando a palavra "crise", sustenta haver consenso entre diversos pesquisadores de que ela compreende a idéia de uma ruptura com o estado anterior[76]. Eis aí a finalidade última do sofrimento: provocar uma renovação positiva em nossa vida. Se, por exemplo, alimentamo-nos incorretamente, apesar de tudo o que hoje se conhece sobre nutrição, certamente poderemos desenvolver uma úlcera, por exemplo. A dor e o desconforto que ela provocará nos convidarão a adotar hábitos alimentares mais saudáveis. Quando isso ocorre, ou seja, quando se dá a renovação das atitudes prejudiciais, a crise orgânica conduz à melhoria da saúde. Há uma ruptura com o estado anterior, o que favorece a cura.

Sucede, porém, que, nos instantes de maior sofrimento, mergulhamos em pensamentos tão depressivos que temos dificuldades em sair da crise. Vamos nos afundando cada vez mais no atoleiro do desânimo e do pessimismo e, como conseqüência, os problemas não se resolvem – quando não, se agravam, gerando maiores desgastes. É um circuito perigoso em que grande parte das pessoas se encontra. Mas não deveria ser assim, pois afinal de contas a crise é o alarme que soou anunciando o momento de mudarmos o que não vai bem em nossa vida. E justo nessa hora iremos abandonar o jogo? Logo no instante de virar o placar? Não, não podemos, pois a crise é o trampolim que nos levará a sair de onde estamos e nos arremessará ao oceano da vitória.

O que poderíamos fazer para sair da crise? Quem responde é o Espírito Bezerra de Menezes por intermédio da mediunidade de Chico Xavier:

"Diante de quaisquer transes da vida, tudo venceremos se nos dispusermos a esquecer o mal, crer no bem e servir com amor"[77].

A orientação espiritual é clara: quaisquer crises podem ser vencidas. É uma notícia carregada de esperança, pois nos diz: "é possível vencer". Quando o mundo proclama que você é um derrotado, doente, falido, incompetente, Deus lhe afirma que você é vencedor, forte, inteligente, são e capaz de superar qualquer crise. Deus nos vê fortes, Ele sabe quem somos, nós é que ainda nos enxergamos pequenos demais. É uma auto-imagem distorcida, irreal. Somos gigantes, porém nos vemos como pigmeus.

A certeza da vitória nos estimula a cultivar esperança e otimismo, verdadeiras chaves que abrem as portas para a vitória. Se, todavia, acreditarmos que o problema é insolúvel, que a crise é invencível, que a doença é incurável, que somos fracos e pequenos demais para dar a volta por cima, vamos sucumbir mesmo, pois o que acreditamos se torna realidade. Devemos acreditar na vitória; crer na possibilidade de sucesso, de a paz reinar em nossa família, da cura de nossas enfermidades, de progresso profissional – enfim, de tudo aquilo que represente nossas necessidades materiais e espirituais. No entanto, essa conquista tem um preço. Aliás, tudo na vida tem um preço. Bezerra de Menezes mencionou três condições para a vitória:

- ◆ Esquecer o mal.
- ◆ Crer no bem.
- ◆ Servir com amor.

Quantas vezes a vida emperra pela força que damos ao mal? Agindo, falando e pensando mal, que bons frutos poderíamos colher? Jesus afirmou que toda árvore boa produz bons frutos, e toda árvore má produz frutos maus[78]. Se a vida não caminha bem, é porque não estamos sintonizados com o bem. Não é que somos maus, apenas estamos sintonizados com forças negativas, e por isso a nossa vida não pode render bons frutos. E fazemos essa conexão com as forças do mal quando, por exemplo, guardamos mágoas, carregamos culpas, falamos mal das pessoas, alardeamos tragédias, cultivamos pensamentos negativos, medos, doenças, preocupações, como também nas vezes em que deliberadamente agimos prejudicando o próximo. O Espírito Emmanuel sugere-nos para não nos referirmos à sombra para que a sombra não nos envolva o caminho[79]. De tanto andar no lodo, acabamos nos sujando. E quantas vezes atribuímos nossos problemas à conta da falta de sorte, da inveja dos inimigos, da ação dos obsessores? É bom pensarmos no que disse Allan Kardec:

> "Que todos aqueles que são feridos no coração pelas contrariedades e decepções da vida interroguem friamente suas consciências. Que busquem primeiro a origem dos males que os afligem e sintam se, na maioria das vezes, não podem dizer: 'Se eu tivesse ou deixado de fazer tal coisa, não estaria nesta situação.'
> A quem, portanto, devem todas essas aflições, senão a si mesmos?"[80]

Tiremos o dedo apontado para os outros. Olhemos a nós mesmos e verifiquemos quantas vezes temos sido portas abertas ao mal. Não adianta ir à missa, receber o passe, participar do culto evangélico, distribuir sacolinha de natal, se depois de tudo isso continuamos maledicentes, críticos amargos do mundo, magoados, medrosos, culpados, vingativos, cheios de pensamentos negativos, com ódio das pessoas... Esquecer o mal é extirpá-lo de dentro de nós mesmos, é fechar a porta para que ele não encontre morada em nossos atos, pensamentos e palavras. Se ele, todavia, encontrar a porta aberta, entrará e fará ninho na árvore da nossa vida. E a árvore má produz maus frutos, e por isso mesmo será cortada e lançada ao fogo, como esclareceu Jesus[81]. Parece estar claro que o Mestre se referiu ao sofrimento que o mal provoca em quem o pratica. Não sairemos da crise se não vencermos nossa sintonia com o mal. Melhorar a vida depende do quanto estamos dispostos a não ter condutas maldosas. Para ficar bem é preciso sair do mal. E como fazer isso? Tento responder:

> Eu me desvinculo do mal quando creio no bem e o tenho como diretriz de vida. O mal é ausência do bem, assim como a escuridão é ausência de luz.
> Estou na sintonia do bem quando exalto os aspectos positivos das pessoas ao invés de procurar-lhes os defeitos.
> O bem se fixa em mim quando me entusiasmo com o progresso dos outros em vez de invejá-los.
> O bem me alcança quando me aprovo e me estimulo a desenvolver as capacidades que Deus me concedeu ao invés de ficar constantemente me criticando e me desaprovando.
> O bem me envolve quando sou capaz de perdoar ao invés de guardar mágoa ou rancor.
> O bem abençoa minha vida quando prefiro o amor ao ódio.

O bem passa a ser o leme da minha existência quando proporciono o bem aos meus semelhantes. Quando me disponho, a promover o bem de alguém, estou sendo canal do auxílio divino, beneficiando-me, desse fluxo abundante de energias positivas.

Em última análise, podemos afirmar que felicidade é o bem viver, o bem falar, o bem pensar, o bem agir. Felicidade é a devolução de todo o bem que sou capaz de dar a mim e ao meu semelhante. A vida me devolve o que dou a ela. Na grande maioria dos casos, dor e sofrimento são devoluções do que plantamos nesta ou em outras existências. Daí ser possível entender a lógica do programa espiritual traçado pelo doutor Bezerra de Menezes, na medida em que ele nos propõe uma nova lavoura, com atitudes positivas, amorosas, alegres, elevadas, livres da erva daninha do mal. E, assim, pela lei da devolução, colheremos o bem que plantarmos. O bem que quero colher é o bem que devo plantar. Muitos querem uma vida boa, mas não se esforçam por uma boa vida. Em todo o primeiro de janeiro, muitos aspiram por um bom ano; poucos, porém, estão dispostos a construir um ano bom. Queremos que o dia seja bom, mas não queremos ser bons durante o dia. Desejamos ter saúde, mas fugimos das atitudes saudáveis. Exigimos que os outros sejam bons conosco, todavia nos recusamos a sermos bons com eles.

A crise é a demonstração de que não estamos realizando o melhor ao nosso alcance; comprova que ainda elegemos a maldade por companhia. Se atirar uma bola amarela na parede, voltará a mesma bola amarela, não uma vermelha ou azul. As bolas que hoje estão chegando à nossa vida em forma de dor e sofrimento são as que atiramos usando a força do mal. Mas esse mesmo princípio vale para as coisas boas a que aspiramos. Sair da crise é trocar de bolas, isto é, trocar de atitudes e pensamentos, elegendo aqueles que nos trarão o que desejamos.

A vida que desejamos ter é a vida que precisamos levar.

Assim será possível sair da crise e ter a vida que pedimos a Deus. Mãos à obra?

> "Não digas que não consegues
> Discernir o mal do bem,
> O certo do que é errado,
> E agir conforme convém.
>
> Por acaso não distinguis,
> Sobre a mesa em qualquer trama,
> Simples prato de feijão
> De um prato cheio de lama?"
> Eurícledes Formiga[82]

Por que porta você quer entrar?

Narram os biógrafos de Chico Xavier que certo dia o famoso médium havia sido insultado verbalmente por um religioso inimigo do Espiritismo. Depois de vários impropérios, o agressor encerrou o assunto mandando Chico ir para o inferno. Em sua extrema sensibilidade, o médium ficou chateado com o episódio, chegando mesmo a derramar lágrimas cheias de mágoa. Sua mãe, na época já desencarnada, apareceu-lhe à visão espiritual e perguntou o motivo do desgosto, ao que o filho respondeu que havia sido moralmente insultado. A genitora perguntou qual teria sido a ofensa. Chico esclareceu que estava triste porque o agressor o mandara para o inferno. Sorrindo, a genitora aconselhou:
– Ora, Chico, não vá!

Que sábia resposta! Por certo, dona Maria João de Deus, este era o nome de sua mãe, sabia que todos nós temos um poder interior de escolher nossos sentimentos e atitudes diante de todos os acontecimentos da vida. Os espíritos chamam essa faculdade de livre-arbítrio e esclarecem que todos a possuímos, pois sem ela o homem seria uma máquina[83]. O que a mãe de Chico desejava era que o filho visse que tinha a possibilidade de não ficar magoado, enfim de "não ir para o inferno". Todos os dias, duas portas se abrem simultaneamente para nós: a porta do céu e a porta do inferno. A primeira é a porta da felicidade, a segunda é a que nos leva aos corredores do sofrimento. Temos a possibilidade de escolher por qual porta vamos entrar.

Diante de uma ofensa, por exemplo, não precisamos ficar necessariamente ressentidos, pois temos a opção de não dar importância à injúria e assim não perder a paz de espírito. A opção de como iremos nos sentir é nossa, pois a Espiritualidade afirma que não somos máquinas programadas para agir desta ou daquela maneira. Como já escrevemos em capítulos anteriores, não temos o poder de controlar o que os outros falarão a nosso respeito, mas podemos decidir como iremos nos sentir diante das acusações que nos endereçam. Não somos escravos das opiniões alheias, nem mesmo das circunstâncias desfavoráveis que nos ocorrem; temos a liberdade de escolher o grau de importância que daremos aos acontecimentos e às pessoas. Isso é ser livre.

Quando mudamos o pensamento sobre um determinado acontecimento, geralmente mudamos o sentimento sobre o ocorrido. Veja o seguinte exemplo dado por Gary Mackay e Don Dinkmeyer, aqui apresentado com ligeiras adaptações:

> Suponha que você está num campo de golfe e de repente uma bola quase caia sobre a sua cabeça. Depois que se refaz do susto, você fica muito zangado e deixa escapar algumas palavras não muito gentis. A seguir você se volta, querendo saber quem foi o autor da tacada para lhe dar uma bronca. Você está pronto para dizer poucas e boas.
> De repente, você avista um golfista, que parece mais um jogador da defesa de um time de futebol americano vindo lá do alto em sua direção! O que acontece com a sua raiva? É bastante provável que ela se transforme em medo, ou pelo menos em cautela, o que demonstra a rapidez com que as mudanças emocionais podem ter lugar e ilustra o efeito que novas informações podem ter nas emoções[84].

Certa vez, fui injustamente criticado por um amigo. Fiquei muito chateado até o momento em que descobri que ele estava gravemente enfermo. Compreendi que, ao me acusar, ele estava com muitos problemas, com dores físicas e conflitos morais. Foi fácil esquecer a ofensa. Mudei o pensamento sobre o ocorrido, mudei o sentimento. O livre-arbítrio é um dos maiores poderes interiores de que dispomos, pois a todo o momento estamos escolhendo nosso destino. Sim, destino é escolha, opção nossa.

A vida não é um jogo de cartas marcadas; é antes um jogo de cartas escolhidas.

E nós somos os jogadores, ninguém joga por nós, nem mesmo Deus. A Espiritualidade afirma que a fatalidade não existe senão para as escolhas que o espírito faz, quer as opções feitas antes de reencarnar, quer as que realiza a todo instante quando reencarnado[85]. Diante disso, podemos concluir que a vida que hoje temos é a vida que escolhemos. Sei que não é fácil admitir tal conclusão, mas ela expressa a verdade espiritual do nosso destino.

Amiúde, lembramo-nos desse poder somente quando nos defrontamos com a colheita sofrida das nossas opções. E passamos a lamentar: "Ah, eu deveria ter seguido outro caminho em minha vida", "Eu não deveria ter largado o emprego", "Se eu tivesse estudado", "Eu não deveria ter me drogado", "Se eu tivesse largado o vício", "Eu não deveria ter desistido", "Se eu tivesse sido um pouco mais paciente", "Se eu tivesse sido menos intransigente", "Se eu pudesse voltar no tempo"...

Hoje somos escravos das nossas escolhas. Colhemos o que plantamos, é a lei. Ninguém colhe uva se plantou banana. Se cultivar mágoas, colherei amarguras, decepções, doenças. Se investir na raiva, receberei dividendos de irritação, agressividade, mau humor, além de visitas freqüentes ao médico. Se me culpo constantemente, atrairei pessoas agressivas, crimes, acidentes, doenças que exigem constantes cirurgias. Se apostar na crítica, as pessoas se voltarão contra mim quando for a minha vez de errar. Tudo é resultante da lei do investimento! No que será que estamos investindo, hoje? Nem precisamos de videntes para adivinhar nosso futuro; basta olhar o que hoje estamos semeando ou deixando de semear. Não esqueçamos que, se tudo tem causa, tudo tem conseqüência.

Duas ferramentas indispensáveis

Mas o que eu gostaria mesmo é de chamar a sua atenção para a importância de lembrarmos desse mecanismo de ação e reação antes de tomarmos qualquer decisão, e não apenas depois que surgirem os espinhos que semeamos. E como poderíamos ter essa consciência no momento de agirmos? Jesus de Nazaré, o maior terapeuta de todos os tempos, afirmou que a oração e a vigilância se constituem em atitudes fundamentais para não cairmos em tentação[86], isto é, para que não venhamos a afundar no mar de sofrimento.

Ao longo deste livro, você tem percebido a importância que a oração tem em nosso equilíbrio físico-espiritual. A prece nos põe em contato com as esferas superiores, de onde receberemos energias que nos restauram as forças, bem como a inspiração divina para tomarmos as melhores decisões em nossa vida. Daí a importância da oração diária, principalmente aquela que se faz ao iniciar o dia. O Espírito Joanna de Ângelis aconselha:

"Por mais complexas se te apresentem as situações, faze uma pausa e ora. A atitude te oferecerá calma e lucidez. Diminuirá a tensão e o temor, renovando-te o ânimo e propiciando-te uma visão mais lúcida a respeito da questão que defrontas"[87].

É possível afirmar, portanto, que a pessoa que faz da oração um hábito toma melhores decisões e, assim, melhora a própria vida. Quando não temos o costume da prece, sofremos a influência das energias negativas que emanam de milhares de mentes encarnadas e desencarnadas, desarticulando o nosso raciocínio, de modo a impedir que tenhamos uma visão clara dos melhores rumos que nossa vida deve seguir. Já a criatura que ora com sinceridade tem sobre si armada uma espécie de guarda-chuva espiritual, um manto protetor que a põe a salvo de vibrações perturbadoras.

Além da prece, Jesus ainda falou na necessidade da vigilância. Antes de qualquer atitude, devemos estar atentos para as conseqüências que advirão das nossas escolhas. É preciso meditar antes, perguntando-se: "Isso que desejo me trará bons resultados? Prejudicará indevidamente alguém?" Essa reflexão nos livraria de boa parte dos problemas que hoje enfrentamos e que, por certo, demandarão ainda algum tempo e esforço de nossa parte para equacioná-los. Se você traz o ímpeto da agressividade verbal, antes de esboçar novas palavras que cortam a alma dos que o cercam, procure pensar mais antes de falar, respire fundo no momento da cólera, silencie por uns instantes, deixe passar a onda hostil e lembre-se de que é mais fácil evitar o erro do que remediá-lo. Custa bem menos e traz excelentes resultados de paz. Quantos crimes no trânsito se cometem exatamente por falta de vigilância, quantos casamentos se desfazem por um instante de irreflexão dos cônjuges.

Vigilância significa estado de atenção – e atenção sobre si, pois muita gente apenas vigia os outros –, estar atento às próprias tendências inferiores, a fim de que elas sejam transformadas em hábitos felizes. Aliás, o homem feliz procura conhecer a si mesmo, pois somente assim identificará os pontos fortes e os pontos fracos de sua personalidade, cabendo-lhe fortalecer os primeiros e transformar os segundos. No dizer de Emmanuel, renascemos na Terra com as forças desequilibradas do nosso pretérito para as tarefas de reajuste[88]. O amigo espiritual se refere aos desatinos de vidas passadas, que já nos custaram muito sofrimento e que hoje precisam ser reajustados.

A atual existência é a oportunidade que temos para o reequilíbrio das próprias tendências. Afirmou Aristóteles que a virtude está "no meio", quer dizer, a felicidade nasce da temperança, que é a qualidade de quem sabe dominar seus desejos e paixões. Tomemos para nós o conselho de dona Maria João de Deus e evitemos o tormento da irreflexão. Vigilância e oração são as chaves que nos abrem as portas do céu. O que estamos esperando para entrar?

> **"Lembremo-nos do ensinamento do Mestre, vigiando e orando, para não sucumbirmos às tentações, de vez que mais vale chorar sob os aguilhões da resistência que sorrir sob os narcóticos da queda."**
>
> Emmanuel[89]

As pedras
do caminho

"**Conta-se que, num país longínquo,** o rei estava preocupado com a felicidade de seus súditos e por isso resolveu mais uma vez ajudá-los. Numa manhã, os habitantes acordaram com uma grande pedra colocada bem no meio da rua principal. Chegou o primeiro grupo de pessoas e, surpreso ante o inusitado, resolveu aguardar a chegada de funcionários do governo para retirarem a pedra. O outro grupo que se aproximou minutos depois ficou indignado com a pedra no meio do caminho. Tentaram apurar quem havia colocado a pedra no local. Mediram o tamanho da pedra, seu peso, seu diâmetro e, por fim, colheram assinaturas para a retirada da pedra. Horas depois, em meio ao tumulto instalado no local, aproximou-se um camponês e notou que não poderia continuar seu trajeto sem remover a pedra. Olhou para os lados e, embora a multidão de pessoas presentes no local, ninguém parecia disposto a remover o obstáculo. Juntou forças e começou sozinho a empurrar a pedra, incansavelmente. Bastaram alguns minutos de esforço para que a pedra fosse afastada para a margem da rua. Logo que atingiu seu intento, para a surpresa de todos, o camponês viu que embaixo da pedra havia uma bolsinha contendo muitas moedas de ouro e uma mensagem do rei: 'as moedas pertencem a quem conseguir remover a pedra do caminho'".

A história narrada traz reflexões importantes. Há nela três grupos distintos de pessoas:

- as passivas;
- as que apenas focalizam o problema em si;
- as que buscam as soluções para os problemas.

A qual grupo pertencemos? Em que time estamos jogando? Tais indagações são fundamentais para compreendermos quais as atitudes necessárias para retirarmos as pedras do nosso caminho. Uma coisa, porém, é fato: as pedras irão surgir na estrada da vida. Será isso porque Deus é sádico? Certo que não, pois se fosse não seria Deus. O Espírito André Luiz esclarece que a dificuldade é o meio de que a vida se vale para melhorar-nos em habilitação e resistência[90]. Trocando em miúdos, dificuldade é oportunidade de progresso, crescimento, melhoria de vida. Explico melhor. Quando surge o obstáculo, a vida está desejando que desenvolvamos potenciais que estão adormecidos, que não estão sendo trabalhados. Todos estamos sob o império da lei de evolução, isto é, tudo na vida deve avançar, crescer, renovar-se.

Podemos perceber que, mesmo com as nossas resistências, tudo no universo está em constante mutação. O próprio conhecimento se renova assustadoramente. Afirma-se que a cada cinco anos grande parte do conhecimento científico se altera quase que por completo. Formei-me em direito no ano de 1985, portanto há mais de 20 anos. Hoje me seria impossível atuar profissionalmente apenas com os conhecimentos adquiridos nos bancos da faculdade. Você se lembra da máquina de datilografia? Era, até não muito tempo, uma ferramenta quase indispensável na vida profissional de muitas pessoas. Hoje se pode dizer que está virando peça de museu. Os próprios computadores se renovam com muita rapidez, obrigando-nos a atualizá-los periodicamente. Nosso corpo também sofreu algumas modificações ao longo do tempo. O homem deste século está distante do homem das cavernas.

Quando resistimos ao crescimento, seja ele de ordem intelectual, seja de ordem moral, surgem os obstáculos à maneira de estímulos ao desenvolvimento das habilidades enferrujadas pelo comodismo. Não se trata de castigo, mas de impulso benéfico à nossa evolução. Diante da dor, superada a fase da revolta ou da queixa sistemática a que muitos se entregam, nosso comportamento se inclinará à adoção das atitudes necessárias à superação dos obstáculos. Nisso reside a finalidade do sofrimento: a evolução intelecto-moral do ser humano. Orison S. Marden, conhecido educador americano, percebeu isso muito bem:

> "O fracasso tem sido, muitas vezes, a causa do êxito, porque estimula as energias latentes do fracassado, aviva idéias esmorecidas e desperta faculdades dormentes. Os homens de brio transformam os contratempos em auxílios, como a madrepérola converte em pérola o grão de areia que a molesta"[91].

O sofrimento nos empurra à renovação das atitudes. Quantas vezes, por exemplo, só deixamos de fumar quando o médico nos aponta um enfisema pulmonar, só pensamos em voltar a estudar quando não conseguimos mais emprego, só valorizamos o cônjuge quando ele se vai, só lembramos de Deus quando todas as portas do mundo se fecharam para nós? Quando compreendemos a lição que o sofrimento nos trouxe e renovamos as atitudes prejudiciais, as pedras do caminho são naturalmente retiradas, porque não há mais razão para que elas existam. Não por outra razão, André Luiz observou:

> "Geralmente, o mal é o bem mal interpretado"[92].

A história que contei no início deste capítulo permite enxergar como nos comportamos diante das dificuldades. O primeiro grupo reagiu de forma passiva, acomodada, as pessoas sentaram-se por sobre a calçada e esperaram que alguém aparecesse para retirar a pedra. É assim também que muitas vezes agimos; sentamos e esperamos que os outros solucionem nossos problemas, esquecidos, no entanto, que somente vertendo o suor do próprio esforço é que iremos adubar o solo das realizações materiais e espirituais.

Ao superarem suas crises, muitas pessoas afirmam que desconheciam as enormes capacidades de que eram possuidoras e se julgam agora bem mais felizes do que antes. A adversidade é tão-somente o meio pelo qual Deus deseja que cada um reconheça sua própria divindade, reencontrando o caminho da felicidade. Quando, com esforço e atitudes, conseguimos retirar as pedras do caminho, uma sensação de plenitude e alegria penetra-nos a alma. É Deus dizendo-nos:

> – Filho, você é capaz, você é forte, jamais se esqueça disso. Receba as moedas de ouro da felicidade e do amor.

O segundo grupo focalizou o problema e não a solução. Preocupou-se com o tamanho e o peso da pedra, com a pessoa que teria posto o objeto no local, mas não com a solução do impasse. É assim mesmo que agimos com freqüência. Pessoas felizes não são as que não têm problemas, são as que buscam soluções para suas dificuldades. Quando ficamos olhando demais para as dificuldades, raramente conseguimos enxergar as saídas, que muitas vezes estão bem na frente do nosso nariz. Veja o que aconteceu nesta história:

José Carlos De Lucca

Quando a Nasa iniciou o programa espacial, descobriram que as canetas não funcionariam com gravidade zero. Para resolver o problema, os americanos gastaram milhões de dólares e quase uma década para desenvolverem uma caneta que escrevesse em qualquer gravidade.
Já os russos usaram lápis...

Americanos e russos olharam para o mesmo fato usando, porém, focos diversos. Foco é a direção que damos ao nosso olhar, o ponto para o qual nossa atenção se concentra. Os americanos puseram o foco no problema. Eles tinham uma caneta que não escrevia na Lua. Então, debruçaram-se sobre o problema até desenvolverem uma caneta que escrevesse em novas condições de gravidade. Para tanto, gastaram tempo e muito dinheiro. Já os russos olharam para a solução e a encontraram muito mais rapidamente e sem nenhum custo. Nós também muitas vezes focalizamos demais o problema que nos atinge, perdendo tempo, energia, saúde, dinheiro e quase nunca encontrando as soluções possíveis. Vejo com freqüência pessoas envolvidas em conflitos judiciais intermináveis pela extrema fixação que dão ao problema. Sentam-se à mesa de audiências e, em vez de encontrarem soluções para seus conflitos, gastam o tempo ruminando queixas e trocando acusações. Parece que não desejam sair do problema. Quando você estiver atravessando uma dificuldade, vale a pena perguntar-se:

— O que posso fazer para resolver esse problema?

É a pergunta certa para quem deseja retirar as pedras do caminho. É preciso se ocupar com o problema e não simplesmente se preocupar com ele. A preocupação nem sempre vem acompanhada de uma ação. Aliás, o que percebemos é que quando nos preocupamos muito quase sempre não sobra tempo para a ação. A preocupação não deixa de ser uma tensão, e toda tensão bloqueia o fluxo de energias positivas, desgastando o corpo e a mente, por isso toda pessoa muito preocupada vive sem energia e criatividade, condições essenciais para a solução das nossas dificuldades.

No entanto, muitas vezes nossa mente foi condicionada a ver problemas em tudo, enxergamos as dificuldades com lentes de aumento e julgamos que somente a peso de muito sacrifício e dor é que superaremos nossos obstáculos, sejam eles do tamanho que forem. Poderia dizer que, no fundo, nossa mente é o problema. As situações podem não ser assim tão difíceis, mas nós as tornamos problemáticas pela maneira caótica de enxergá-las.

Quem, por fim, encontrou as moedas de ouro foi um homem que certamente se fez a pergunta proposta:

– O que posso fazer para resolver esse problema?

Mais do que simplesmente perguntar, ele a respondeu não com palavras, com idéias, com planos, mas com o suor do seu rosto, com a força de suas mãos, com braços fortes e determinados a construir pontes de luz para suas realizações. Tenho certeza de que embaixo das pedras colocadas na estrada da sua vida existem tesouros incalculáveis aguardando por você. O que está esperando para começar a removê-las?

> **"São as atitudes que escrevem a nossa história, e não as nossas expectativas."**
> Carlos Hilsdorf[93]

Faxina mental

Durante o processo de criação deste livro, tive um sonho em que um amigo espiritual me lembrava da importância da renovação mental para o êxito das propostas que iria apresentar aos leitores. De fato, como o pensamento é a fonte geradora de tudo, nenhum empreendimento chegará a bom termo sem uma plataforma mental que lhe sustente as diretrizes. Vejamos a orientação do Espírito André Luiz por intermédio do médium Chico Xavier:

> "A sua vida será sempre o que você esteja mentalizando constantemente. Em razão disso, qualquer mudança real em seus caminhos, virá unicamente da mudança de seus pensamentos"[94].

Nossa vida é o produto daquilo que estamos constantemente pensando. O caminho é o seguinte: o pensamento gera um sentimento e o sentimento conduz à ação, e a ação produz o destino. Por exemplo: se pensar em uma fruta que aprecio, é provável que venha a sentir vontade de comê-la e assim farei o necessário para saciar meu desejo – daí por que bons pensamentos conduzem-nos a boas emoções. Sempre recomendo a pessoas que estão tristes que se recordem de episódios felizes que lhes sucederam; a lembrança tem o efeito de despertar sensações agradáveis. E sentimentos bons levam-nos a ter atitudes positivas. É o princípio de que uma coisa leva à outra. Já reparou que quando estamos nos sentindo bem temos a tendência de trabalhar ainda mais pela nossa felicidade? Se você começar a exercitar o corpo, procurando melhorar a saúde, provavelmente passará a ser mais seletivo com os alimentos que ingere, evitará vícios e terá maior atenção com a aparência. Em conseqüência, a auto-estima se eleva consideravelmente e lhe dará motivação suficiente para alcançar seus objetivos.

Da mesma forma, quando você não está bem consigo mesmo, tenderá a ser displicente com os hábitos alimentares, com a escolha das companhias e com os cuidados pessoais. O vício surge como anestésico para as dores da alma, o corpo se torna preguiçoso e o desleixo passa a ser nosso figurino. Nesse caso, a auto-estima desce tanto que perdemos o entusiasmo pela vida. E saber que tudo isso começa num simples pensamento...

É possível afirmar que felicidade, saúde, prosperidade são conseqüências dos nossos pensamentos habituais. O pensamento é a causa. Muitas vezes desejamos mudar a realidade exterior sem mexer na raiz dos nossos males que são os pensamentos negativos constantemente sustentados. Vamos ao médico, tomamos os remédios prescritos, mas continuamos com a "cabeça de doente". Certa feita, um psiquiatra me disse que há dois tipos de pacientes com depressão: os que chegam à consulta dizendo que têm depressão e os que já se intitulam depressivos. A diferença talvez seja sutil. Mas o médico afirma que os primeiros são os de maior probabilidade de cura, pois há uma nítida diferença psicológica entre estar com depressão e ser um depressivo; quem está enfermo pode deixar de estar, mas quem é...

Por isso, a conquista da saúde pressupõe que também tenhamos pensamentos saudáveis, com a mesma importância que atribuímos a remédios e cirurgias. Um hábil cirurgião confidenciou-me que tinha receio de operar pacientes pessimistas, pois na grande maioria dos casos era significativa a incidência de complicações pós-cirúrgicas, diferentemente do que ocorria com pacientes otimistas e bem-humorados. Quando possível, disse-me, retardava a cirurgia até o momento em que o paciente estivesse com melhor estado de espírito.

Você já tem o que deseja?

Participei de uma reunião espiritual para socorro a portadores dos mais variados problemas de saúde e me perguntei se todos os enfermos presentes seriam curados, ao que um benfeitor espiritual respondeu que somente seriam os que tinham a "mente curável". E que características têm as pessoas de "mente curável"? Primeiro, elas possuem fé na cura e não na doença. Quantas vezes nossos pensamentos se voltam mais para as desgraças do que para as bênçãos? Esquecemos que a saúde é nosso estado natural, não a doença. A enfermidade é passageira, é um acidente de percurso. Eu devo direcionar meus pensamentos para o poder que o corpo tem de se regenerar, de recuperar seu estado natural, e não em pensamentos de temor que somente agravam a enfermidade. Emmet Fox, notável estudioso das leis do pensamento, afirma:

> "Temer é ter mais fé no mal do que em Deus"[95].

A segunda característica das pessoas curáveis consiste na habilidade que possuem de manifestar pensamentos harmônicos. Saúde é, em última análise, harmonia do corpo e do espírito. O equilíbrio repousa na base da saúde. Todo excesso abre portas para a enfermidade. Doença é desarmonia, desequilíbrio, desajustamento. Por isso, nossos pensamentos negativos causam tantos desajustes físicos. Vejamos alguns exemplos apresentados pelo Espírito Joanna de Ângelis:

> "A ansiedade estimula a secreção de adrenalina, que sobrecarrega o sistema nervoso e o descontrola;
> O pessimismo perturba o aparelho digestivo e produz distúrbios gerais;
> O medo, a revolta são agentes de úlceras gástricas e duodenais de curso largo.
> Da mesma forma, a tranqüilidade, o otimismo, a coragem são estimulantes que trabalham pela harmonia

emocional e orgânica, produzindo salutares efeitos na vida.

O homem se torna o que pensa, portanto, o que quer"[96].

Os princípios que anunciei sobre a "mente curável" se aplicam perfeitamente aos demais problemas da nossa vida. Se atravesso dificuldades financeiras, necessito, em primeiro lugar, ter fé na prosperidade e não na carência. Centenas de pessoas me procuram com as finanças abaladas e observo em quase todas elas crenças negativas sobre o dinheiro, o sucesso e a prosperidade. Louise L. Hay, profunda estudiosa dos padrões mentais, identificou o que essas pessoas costumam pensar:

- Dinheiro não cresce em árvores.
- O dinheiro é sujo e nojento.
- O dinheiro é mau.
- Sou pobre, mas sou limpo/bom.
- Os ricos são trapaceiros.
- Nunca conseguirei um bom emprego.
- Nunca conseguirei ganhar dinheiro.
- Os pobres nunca saem da lama.
- Só desonestos têm dinheiro.
- O dinheiro só vem com trabalho duro.
- Eu não mereço.
- Não sou bom em ganhar dinheiro.
- Não quero dinheiro para me transformar num grã-fino convencido.

◆ Sinto raiva dos que têm dinheiro[97].

Se não tiver prosperidade na mente, não a terei em minha vida. Se julgar então que nem a mereço, poderei trabalhar como um louco que a situação financeira estará sempre crítica. Da mesma forma, se pensar que não mereço ter ao meu lado uma pessoa que me ame de verdade, é provável que somente surjam em minha vida pessoas com propósitos afetivos duvidosos. Elas serão como intérpretes dos meus próprios pensamentos. Se o meu padrão mental for de crítica, atrairei a crítica e a maldade para minha vida, surgindo, por exemplo, chefes que também poderão ser críticos e demasiadamente exigentes, pessoas perfeccionistas que não perdoarão o nosso menor deslize, parentes cobradores, e assim por diante. É possível assim compreender a advertência de Jesus:

"Não julguem os outros para que Deus não julgue vocês. Porque Deus os julgará do mesmo modo que vocês julgarem os outros, e usará com vocês a mesma regra que usarem com os outros"[98].

Tudo o que se dá no mundo físico ocorre primeiro no mundo mental. A doença, antes de eclodir no corpo físico, formou-se primeiramente na mente. Um acidente pode ter também na conduta mental a razão da sua existência. O doutor Joseph Murphy narra o caso de um homem cuja filha sofria de artrite reumatóide* e

---

* Doença crônica que se caracteriza por inflamações articulares e dores.

psoríase* e que nenhum tratamento médico parecia dar resultado. O pai entrou em desespero. Repetidamente, dizia aos amigos: "Eu daria meu braço direito para ver minha filha curada". Certo dia, a família saiu para um passeio de carro e o veículo chocou-se de frente com outro. O braço direito do pai foi decepado à altura do ombro. Ao voltar para casa depois da alta hospitalar, o pai descobriu que a filha estava curada[99].

Em resumo, poderíamos dizer que o conjunto dos nossos pensamentos constantes traça nossas experiências de vida e, se quisermos mudar o destino, precisamos mudar antes de tudo os próprios pensamentos, a começar pelos pensamentos negativos que cultivamos sobre nós mesmos. São idéias de culpa, ódio voltado contra nós mesmos, inferioridade, desmerecimento, críticas excessivas, enfim dardos mentais que constantemente disparamos contra nós mesmos. Não é possível que haja felicidade, saúde e harmonia em nossa vida se nos envolvemos em ondas mentais tão negativas. Se estivermos contra nós, como querer que a vida esteja a nosso favor? Se cultivarmos pensamentos derrotistas, como desejar a vitória? Se alimentarmos pensamentos de carência, como obter a abundância? Se andarmos em trevas, como enxergar a luz?

Há outro aspecto que não pode ser esquecido. Vivemos em regime de permuta constante. Influenciamos e somos influenciados. Os pensamentos formam correntes de força que envolvem quem lhes oferece sintonia. Quando me habituo a

---

* Doença caracterizada pela presença de rubor congestivo, escamas e erupções na pele.

pensamentos tristes, por exemplo, estou me ligando vibratoriamente a milhares de mentes, encarnadas e desencarnadas, que estejam na mesma freqüência de pensamento. Essas correntes mentais poderiam ser comparadas a verdadeiras nuvens pesadas e escuras que nos circundam, intoxicando-nos com energias de baixa vibração. A conseqüência é mais tristeza, mais desânimo, mais doença, mais problemas.

O contrário também é verdadeiro. Quando me alimento de pensamentos alegres, por exemplo, vinculo-me a muitas almas que também cultuam a alegria, intercambiando sensações prazerosas e enriquecedoras, que me impulsionarão a trabalhar por mais alegria e felicidade. Isso explica a razão pela qual coisas boas costumam ocorrer a quem já está bem. O dinheiro procura os ricos. A saúde gosta dos sãos. O trabalho anda de mãos dadas com o trabalhador. A alegria se alegra com os contentes. Já os acontecimentos infelizes costumam procurar mentes infelizes.

Acho que você chegou à conclusão de que é preciso fazer uma faxina mental urgente, não é mesmo? Para tanto, não brigue com os pensamentos negativos que porventura chegarem até você. Deixe-os passar afirmando que eles não são seus e imediatamente fixe sua mente em pensamentos felizes, alegres, fortalecedores, saudáveis e amorosos. Use também o poder da imaginação, pois a constante visualização daquilo que se deseja criará as condições energéticas favoráveis à materialização dos seus sonhos. Mas é fundamental a persistência em pensar bem, pois não adianta ter pensamentos positivos apenas por um dia. Esse é um trabalho para a vida inteira, todavia extremamente compensador. Você não vai conseguir parar de pensar, nem quando morrer. Por que então não se decide a pensar positivamente a partir de agora?

> **"Fred diz: 'Eu penso como penso porque minha vida é uma droga'.
> Não, Fred, sua vida é uma droga porque você pensa como pensa!"**
> Andrew Matthews[100]

Comece de onde você está

Ao chegar ao último capítulo deste livro, talvez você esteja dizendo que gostou das idéias apresentadas, mas que se sente muito distante dos objetivos propostos. Sente que há uma ponte infinita entre onde se encontra agora e aonde gostaria de chegar. Pior do que isso é sentir que não tem meios de realizar suas mais caras aspirações. Afinal de contas, poderá estar pensando que não tem um bom emprego, não tem cultura suficiente, não tem um "padrinho" que lhe garanta um cargo público, não tem apoio familiar, não tem sorte, não tem boa saúde, não tem uma boa equipe de vendas, não tem bons funcionários, e assim dificilmente será feliz. Esse tipo de atitude representa um dos maiores entraves à nossa realização, porquanto nos põe a esperar por uma situação ideal para atingirmos o progresso, ao passo que a melhor situação de progresso é aquela na qual nos encontramos neste exato instante. Veja o que aconteceu na história narrada por Andrew Matthews[101]:

"O empresário John MacCormack conta como seu amigo Nick arranjou o primeiro emprego nos Estados Unidos. Ele era imigrante. Sem dinheiro e sem falar inglês, candidatou-se a uma vaga de lavador de pratos num restaurante italiano. Antes da entrevista com o patrão, foi ao toalete do estabelecimento e fez a faxina, limpou o rejuntamento de cada azulejo com uma escova de dentes até que o banheiro ficasse absolutamente impecável. Na hora da entrevista, o patrão estava tentando descobrir: 'Que aconteceu com o toalete?' Era a maneira de Nick dizer: 'Eu levo a sério o serviço de lavar pratos'.
Ele ficou com o emprego. Uma semana depois, o ajudante de cozinha encarregado das saladas pediu demissão, e Nick começou a trilhar o caminho que o levaria a ser chef. Eu penso nele e em sua escova de dentes toda vez que me dizem: 'Não há emprego em lugar nenhum!'".

Como Andrew Matthews, eu também me pergunto se alguém, sendo experiente cozinheiro, estaria disposto a aceitar um emprego como lavador de pratos. Será que aceitaríamos esse trabalho? Penso que seriam poucos os candidatos. As pessoas querem começar como cozinheiras, como gerentes, como diretoras e supervisoras; quase ninguém deseja iniciar dos primeiros passos. Um amigo tem um restaurante e me disse que, ao selecionar candidatos à vaga de chefe de cozinha, grande parte deles se recusa à tarefa de retirar pele de tomates, dizem que isso é serviço para ajudantes. Eles ignoram que uma boa macarronada começa no preparo dos tomates e que um bom cozinheiro domina toda a arte de preparação dos alimentos que serão postos à mesa. Chico Xavier pensava assim ao iniciar o desenvolvimento dos candidatos ao exercício mediúnico. Pedia aos futuros médiuns que cooperassem na preparação de sopa aos pobres: descascar batatas, cenouras, picar legumes e servir a refeição quentinha eram exercícios de refinamento espiritual. E explicava: a sintonia com os espíritos superiores se estabelece mais facilmente quando socorremos os espíritos em sofrimento. Ninguém sobe sem uma plataforma que lhe sirva de alicerce. Ninguém será um bom empresário se não estiver disposto a lavar os banheiros da sua empresa.

> A pergunta que devemos fazer será como começar o nosso desenvolvimento a partir do ponto onde estamos e não de onde gostaríamos de estar.

Patrícia alimentava o sonho de ser médica. Narrou-me que sentia sua aspiração muito distante, pois embora já estivesse com 40 anos de idade, ainda nem havia iniciado os estudos do ensino médio. Fiz ver a ela que a concretização de seu projeto iniciava exatamente naquele momento, isto é, o diploma de medicina começaria a ser obtido no instante em que ela retomasse os estudos no ponto onde havia parado. Quando vemos um médico realizando verdadeiros prodígios na mesa de cirurgia, costumamos esquecer que seus conhecimentos foram construídos ao longo de muitos anos de estudo, desde o primeiro dia em que entrou na escola, quando ainda criança, até a conclusão da residência em cirurgia. Tudo isso levou mais de 20 anos de estudo diário. Não nos damos conta de que a vida é acumulativa – vale dizer, um fato se soma a outro e, pouco a pouco, nosso destino é traçado pelo somatório do que fazemos no dia-a-dia. Por exemplo, ninguém ficou obeso do dia para a noite, no entanto se engordarmos meio quilo por mês, e olha que isso não é lá muito difícil, em um ano estaremos seis quilos mais gordos. Uma depressão é fruto de uma série de atitudes equivocadas que nos permitimos ao longo do tempo. Ninguém dorme feliz e acorda depressivo. Veja o que afirma Anthony Robbins[102]:

> "É importante lembrar que emoções como a depressão não acometem você. Não se 'pega' depressão. Você a cria, como qualquer outro resultado em sua vida, por meio de ações específicas mentais e físicas. Para ficar deprimido tem de olhar sua vida de maneira específica. Tem de dizer certas coisas para si mesmo, nos tons exatos de voz. Tem de adotar uma postura específica e um modo de respirar. Por exemplo, se você quiser ficar deprimido, ajudará muito deixar cair os ombros e olhar muito para baixo. Atitudes como falar em um tom de voz triste e pensar nos piores momentos de sua vida

também ajudarão. Se você provocar distúrbios em sua bioquímica, como conseqüência de uma dieta pobre, excesso de álcool ou uso de drogas, ajudará seu corpo a ficar com baixo teor de açúcar no sangue – e assim garantirá uma depressão.

O que quero mostrar aqui é que é preciso esforço para criar depressão. É trabalho pesado e são precisos tipos específicos de ação".

Se o esforço diário é capaz de criar a depressão, é também capaz de criar a saúde. Pequenas atitudes saudáveis tomadas todos os dias nos levarão a uma vida saudável. O problema é que o regime dura apenas uma semana, a vontade de fazer exercícios passa depois do entusiasmo inicial (hoje a esteira é um estorvo em nossa casa), a prática da oração não vai além dos primeiros dias, a leitura de um livro não passa das primeiras páginas, e assim voltamos aos velhos hábitos nocivos que tantos estragos fazem em nossa vida.

É preciso olhar a questão de forma diversa. Ajuda muito se analisarmos tudo sob a ótica da relação custo-benefício. Todo benefício tem um custo. Não há milagre, ou seja, os benefícios que almejamos (saúde, crescimento profissional, harmonia pessoal e familiar etc.) têm um preço. E um preço geralmente pequeno diante de um grande benefício. Meia hora de caminhada três vezes por semana é capaz de produzir muitos benefícios para a nossa saúde. Uma semana tem 168 horas, por isso não será nenhum sacrifício utilizar uma hora e meia para atividades físicas, sobretudo quando verificamos as vantagens inegáveis que ela trará para a saúde física e mental.

Especialistas afirmam que vivemos a era da informação. O conhecimento se multiplica de forma assustadora. A toda hora precisamos reciclar conhecimentos, adquirir novas habilidades intelectuais e emocionais. Quem perde conhecimento perde oportunidade. Muitos pretendem progresso profissional, almejam uma boa colocação no mercado de trabalho, mas não estão dispostos a reciclarem seus conhecimentos e habilidades. São os mesmos empregados e empresários de há cinco anos atrás. Estão fadados ao fracasso. Aqui eu observo o grande desinteresse que as pessoas têm por leitura. Muitos falam que não têm tempo, mas são capazes de ficar horas e horas diante da televisão em programas nada instrutivos. Passam horas nos bancos de ônibus e metrô sem um livro às mãos. Fiz um teste. O dia tem 1.440 minutos. Tomei o excelente livro *Fonte viva*, de Emmanuel[103], que contém 180 capítulos, e cronometrei o tempo médio de leitura de cada capítulo. Surpreendi-me com o resultado: 2 minutos, aproximadamente. Em seis meses, e com apenas dois minutos ao dia, esse livro de 402 páginas estará lido. Será que não dispomos de, ao menos, dois minutos diários para a leitura de um bom livro? Um custo muito pequeno para um benefício incomparável.

Enfim, caro leitor, com estas linhas finais, entrego a você um pouco das minhas reflexões. Confesso que escrever este livro foi um trabalho de autoterapia. Aprendi muito com o que escrevi. Organizei o meu pensamento, olhei no fundo do meu espírito e reconheci minhas próprias necessidades. Apenas resolvi dividir tudo isso com você. Verifiquei que a vida nada mais é do que um simples olhar, que tudo depende de como se olha, de como se quer ver. Se estiver inclinado a ver o mundo azul, ele será como desejo ver. Se quiser vê-lo como um lugar sombrio, assim o será. Um dos olhares mais fantásticos que descobri é ver que nada chegou ao fim, que tudo está sempre recomeçando. Para o espírito eterno, não existem palavras como fim, morte, ponto final, impossível, nunca mais... Tudo precisa ser visto com outros olhos, olhos espirituais, olhos de quem sabe que tudo na vida é apenas experiência, lição e aprendizado. Nada mais.

Acabemos com os olhares de tragédia, fracasso, culpa e medo, pois o espírito está sempre pronto para aprender com os próprios erros e recomeçar, sempre. Nada chegou ao fim, porque o fim não existe. Por pior que lhe pareça a situação, tudo pode ser visto com outros olhos, desde que queira inventar uma nova vida para você. Tiremos a venda materialista que encobre os nossos olhos e passemos a enxergar a vida como espíritos imortais, espíritos que fazem de cada dia um novo caminho, uma nova experiência, uma nova oportunidade de crescimento. Vamos viver para sempre, nada nos destruirá, nem a doença, nem mesmo a morte. Temos o direito espiritual de recomeçar sempre, pois Jesus afirmou que nenhuma das ovelhas do Pai se perderá. Encontraremos o caminho que nos conduzirá a uma vida de riqueza espiritual e plenitude interior, pois é assim que Deus deseja para cada um de nós. Não desista de você, não desista da vida, invista em um novo olhar sobre si mesmo. Talvez devêssemos nos olhar como Deus nos olha: um olhar carinhoso de um pai sobre o filho amado, um olhar de bondade, de estímulo positivo e de profundo amor. Quando assim nos virmos, quando assim olharmos a vida e as pessoas à nossa volta, não haverá dor que não cesse, não haverá sofrimento que perdure, não haverá angústia que não passe, não haverá caminhos que não possam ser abertos. Eis aí a magia do olhar que tentei passar a você nas singelas linhas deste livro. Agora quero lhe dizer que foi uma alegria imensa ter dividido essa experiência com você, despedindo-me com as palavras doces da monja budista Pema Chödrön[104]:

> **"Você pode ser a pessoa mais violenta do mundo – esse é um bom ponto para começar. Esse é um ponto de partida muito rico, cheio de sabores e cheiros. Você pode ser a pessoa mais deprimida, a mais viciada, a mais invejosa. Pode achar que ninguém no planeta se odeia tanto. Todos esses são bons pontos de partida. Exatamente onde você está – é daí que deve começar."**

Referências bibliográficas

1 *Para que minha vida se transforme*, Maria Salette e Wilma Ruggeri. SP: Verus Editora.
2 Mateus, 6: 22-23.
3 *Poesia e prosa selecionadas*, William Blake. Org. Paulo Vizioli. SP: Nova Alexandria.
4 *Se teus olhos forem bons*, psicografia de Carlos A. Baccelli. SP: Didier Editora.
5 *O sermão da montanha*, Rodolfo Calligaris. RJ: FEB.
6 Lucas, 11: 9.
7 João, 10: 34.
8 Mateus, 5: 14.
9 Mateus, 5: 13.
10 *Dicionário da alma*, psicografia de Francisco Cândido Xavier. RJ: FEB.
11 Obra citada.

12 *Muito além dos neurônios*, Núbor O. Facure. SP: Associação Médico-Espírita de São Paulo.

13 *Nosso lar*, psicografia de Francisco Cândido Xavier. RJ: FEB.

14 *O Evangelho Segundo o Espiritismo*, Allan Kardec, Capítulo XIX, item 2. SP: Petit Editora.

15 *Histórias para abrir o coração*, Jack Canfield e Mark Victor Hansen. Vol. II. RJ: Ediouro.

16 Marcos, 9: 23.

17 *Obra poética*, Fernando Pessoa. Org. Maria Aliete Galhoz. RJ: Nova Aguilar.

18 *O ser consciente*, psicografia de Divaldo Pereira Franco. SP: Leal Editora.

19 Mateus, 7: 3.

20 Mateus, 7: 1-2.

21 *O Evangelho Segundo o Espiritismo*, Allan Kardec, Capítulo X, item 15. SP: Petit Editora.

22 *Dias melhores*, psicografia de Carlos A. Baccelli. MG: LEEPP Editora.

23 *O Livro dos Espíritos*, Allan Kardec, Questão 919A. SP: Petit Editora.

24 Mateus, 5: 3.

25 *Respostas da vida*, psicografia de Francisco Cândido Xavier. SP: IDEAL.

26 *Terapia para amenizar o sofrimento*, Anne C. Fonne. SP: Paulus.

27 *O livro do perdão*, Robin Casarjian. RJ: Rocco.

28 *Fazendo as pazes com Deus*, Harold Bloomfield e Philip Goldberg. SP: Pensamento.

29 *Amor incondicional*, Paul Ferrini. SP: Pensamento.

30 *O Céu e o Inferno*, Allan Kardec, Capítulo VII. RJ: FEB.

31 *Dias melhores*, psicografia de Carlos A. Baccelli. MG: LEEPP Editora.

32 I Pedro, 4: 8.

33 *Pensamento e vida*, psicografia de Francisco Cândido Xavier. RJ: FEB.

34 *Auto-estima*, Nathaniel Branden. SP: Saraiva.

35 Mateus, 5: 13.

36 *Um retorno ao amor*, Marianne Williamson. SP: Novo Paradigma.

37 Lucas, 18: 16.

38 *Um retorno ao amor*, Marianne Williamson. SP: Novo Paradigma.

39 *Paz e renovação*, psicografia de Francisco Cândido Xavier. SP: IDE.

40 *Homo habilis*, Luiz Marins. SP: Gente.

41 *Dicionário universal de citações*, Paulo Rónai. RJ: Nova Fronteira.

42 *Chico e Emmanuel*, Carlos A. Baccelli. SP: Didier Editora.

43 *Os 100 segredos das pessoas saudáveis*, David Niven. RJ: Sextante.

44 *A cura quântica*, Deepak Chopra. RJ: Best Seller.

45 *Os 10 hábitos das pessoas altamente saudáveis*, Frank Minirth e Paul Méier. SP: Editora Vida.

46 *Quem ama não adoece*, Marco Aurélio Dias da Silva. RJ: Best Seller.

47 Lucas, 15: 11-32.

48 *O Evangelho Segundo o Espiritismo*, Allan Kardec, Capítulo XI, item 8. SP: Petit Editora.

49 *Apelos cristãos*, psicografia de Francisco Cândido Xavier. MG: União Espírita Mineira.

50 *Meditando com Brian Weiss*, Brian Weiss. RJ: Sextante.

51 *Agenda cristã*, psicografia de Francisco Cândido Xavier. RJ: FEB.

52 *Busca e acharás*, psicografia de Francisco Cândido Xavier. SP: Ideal Editora.

53 *Livro das bem-aventuranças e do Pai-Nosso*, Jean-Yves Leloup. RJ: Editora Vozes.

54 *O Evangelho de Chico Xavier*, Carlos A. Baccelli. SP: Didier Editora.

55 *O Evangelho Segundo o Espiritismo*, Allan Kardec, Capítulo XV, item 10. SP: Petit Editora.

56 *O Evangelho de Chico Xavier*, Carlos A. Baccelli. SP: Didier Editora.

57 *Desperte o gigante interior*, Anthony Robbins. RJ: Record.

58 *Para o dia nascer feliz*, José Carlos De Lucca. SP: Petit Editora.

59 Obra citada.

60 *A vida por linhas certas*, Legrand. MG: Soler Editora.

61 *Concerto para corpo e alma*, Rubem Alves. SP: Papirus Editora.

62 *O Evangelho de Chico Xavier*, Carlos A. Baccelli. SP: Didier Editora.

63 *Missionários da luz*, psicografia de Francisco Cândido Xavier. RJ: FEB.

64 *Farmácia de pensamentos*, Sonia Aguiar. RJ: Relume Dumará.

65 Gênesis, 3: 19.

66 *Companheiro*, psicografia de Francisco Cândido Xavier. SP: IDE.

67 *Tenha um dia perfeito*, Norman Vincent Peale. RJ: Record.

68 *Quem ama não adoece*, Marco Aurélio Dias da Silva. RJ: Best Seller.

69 João, 11: 1-36

70 *Reflexões sobre a arte de viver*, Joseph Campbell. SP: Editora Gaia.

71 Mateus, 5: 4.

72 *Felicidade já!*, Robert Holden. SP: Butterfly Editora.

73 *Paz, amor & cura*, Bernie Siegel. SP: Summus.

74 Obra citada.

75 *Decidi ser feliz*, Miguel O. Riquelme. SP: Paulus.

76 *A vida íntima das palavras*, Deonísio da Silva. SP: Editora ARX.

77 *Paz e renovação*, psicografia de Francisco Cândido Xavier. SP: IDE.

78 Mateus, 7: 17.

79 *Irmão*, psicografia de Francisco Cândido Xavier. SP: IDEAL.

80 *O Evangelho Segundo o Espiritismo*, Allan Kardec, Capítulo V, item 4. SP: Petit Editora.

81 Mateus, 7: 19.

82 *Perseverança*, psicografia de Carlos A. Baccelli. SP: Didier Editora.

83 *O Livro dos Espíritos*, Allan Kardec. Questão n. 843. SP: Petit Editora.

84 *Você decide como se sente*, Gary Mackay e Don Dinkmeyer. RJ: Best Seller.

85 *O Livro dos Espíritos*, Allan Kardec. Questão n. 851. SP: Petit Editora.

86 Mateus, 26: 41.

87 *Alegria de viver*, psicografia de Divaldo Pereira Franco. SP: Leal Editora.

88 *Fonte viva*, psicografia de Francisco Cândido Xavier. Cap. 110. RJ: FEB.

89 Obra citada.

90 *Respostas da vida*, psicografia de Francisco Cândido Xavier. SP: IDEAL.

91 *A marcação do lugar na vida*, Orison S. Marden. Porto: Livraria Figueirinhas.

92 *Sinal verde*, psicografia de Francisco Cândido Xavier. SP: Petit Editora.

93 *Atitudes vencedoras*, Carlos Hilsdorf. SP: Senac.

94 *Respostas da vida*, psicografia de Francisco Cândido Xavier. SP: IDEAL.

95 *O poder do pensamento construtivo*, Emmet Fox. SP: Pensamento.

96 *Episódios diários*, psicografia de Divaldo Pereira Franco. SP: Leal Editora.

97 *Você pode curar sua vida*, Louise L. Hay. RJ: Best Seller.

98 Mateus, 7: 1-2.

99 *O poder do subconsciente*, Joseph Murphy. RJ: Nova Era.

100 *Siga seu coração*, Andrew Matthews. RJ: Best Seller.

101 Obra citada.

102 *Poder sem limites*, Anthony Robbins. RJ: Best Seller.

103 *Fonte viva*, psicografia de Francisco Cândido Xavier. RJ: FEB.

104 *Comece onde você está*, Pema Chödrön. RJ: Sextante.

Ao terminar a leitura deste livro, talvez você tenha ficado com algumas dúvidas e perguntas a fazer, o que é um bom sinal. Sinal de que está em busca de explicações para a vida. Todas as respostas que você precisa estão nas Obras Básicas de Allan Kardec.

Se você gostou deste livro, o que acha de fazer com que outras pessoas venham a conhecê-lo também? Poderia comentá-lo com aquelas do seu relacionamento, dar de presente a alguém que talvez esteja precisando ou até mesmo emprestar àquele que não tem condições de comprá-lo. O importante é a divulgação da boa leitura, principalmente a da literatura espírita. Entre nessa corrente!

FORÇA ESPIRITUAL
JOSÉ CARLOS DE LUCCA

Autoajuda | 16x23 cm | 160 páginas

Todos nós merecemos ser felizes! E o primeiro passo para isso é descobrir por que estamos sofrendo. Seja qual for o seu caso, entenda que os males não acontecem por acaso...
Neste livro – do mesmo autor do best-seller Sem medo de ser feliz – encontramos sugestões práticas para despertar a força espiritual que necessitamos para enfrentar e vencer nossas dificuldades.
Leitura interativa, esclarece as dúvidas mais frequentes daqueles que desejam transformar seu destino – mas não sabem por onde começar. Agora, com a ajuda deste livro, ser feliz só depende de sua transformação...

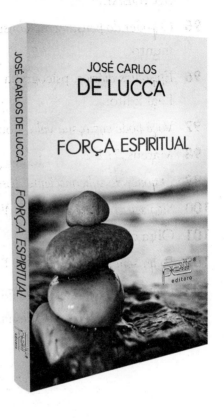

 www.boanova.net

 www.facebook.com/boanovaed

 www.instagram.com/boanovaed

 www.youtube.com/boanovaeditora

Entre em contato com nossos consultores e confira as condições
Catanduva-SP 17 3531.4444 | boanova@boanova.net

Allan Kardec

O Evangelho Segundo o Espiritismo
O livro espírita mais vendido agora disponível em moderna tradução: linguagem acessível a todos, leitura fácil e agradável, notas explicativas.

Disponível em três versões:
- **Brochura** (edição normal)
- **Espiral** (prático, facilita seu estudo)
- **Bolso** (fácil de carregar)

O Livro dos Espíritos
Agora, estudar o Espiritismo ficou muito mais fácil. Nova e moderna tradução, linguagem simples e atualizada, fácil leitura, notas explicativas.

Disponível em três versões:
- **Brochura** (edição normal)
- **Espiral** (prático, facilita seu estudo)
- **Bolso** (fácil de carregar)

O Livro dos Médiuns
Guia indispensável para entender os fenômenos mediúnicos, sua prática e desenvolvimento, tradução atualizada. Explicações racionais, fácil entendimento, estudo detalhado.

Disponível em duas versões:
- **Brochura** (edição normal)
- **Espiral** (prático, facilita seu estudo)

Coletânea de Preces Espíritas
Verdadeiro manual da prece. Orações para todas as ocasiões: para pedir, louvar e agradecer a Deus. Incluindo explicações e orientações espirituais.
- **Edição de Bolso**

Leia e recomende!
À venda nas boas livrarias espíritas e não espíritas.

Obra vencedora do Concurso Literário Petit 30 Anos

Uma conversa amiga, com perguntas e respostas que surgem ao sabor dos acontecimentos.

Dividida em doze blocos, ou "diálogos", esta obra traz para o leitor alguns dos temas que mais aguçam e despertam a curiosidade dos leitores, como reencarnação; suicídio; deficiências; evolução dos espíritos; herança espiritual; aborto; entre muitos outros.

Sucesso da Petit Editora!

Um bate-papo sincero e verdadeiro sobre diversos temas

Nada escapa à curiosidade dessas crianças!

Temas delicados, como sofrimento, suicídio, espiritismo e reencarnação, são tratados de uma forma bastante diferenciada nesta obra de Manolo Quesada. Por meio de perguntas e respostas, no melhor tom de bate-papo, o autor responde às perguntas e inquietações de suas netas, garotas muito curiosas e antenadas com as novidades do dia a dia.

Sucesso da Petit Editora!

Às vezes não temos outra escolha a não ser tentar novamente

Preparando para voltar à Terra...

Essa obra traz para o leitor a temática da reencarnação com muita sensibilidade, já que o autor espiritual nos apresenta esse tema destituído de todo o misticismo que costuma cercá-lo e o revela com toda a graça divina. Prestes a reencarnar, Maneco está angustiado por não saber como será recebido pela família na Terra nem as contas que terá de acertar para resgatar seus erros e faltas de existências passadas.

Lançamento da Petit Editora!

Av. Porto Ferreira, 1031 | Parque Iracema
CEP 15809-020 | Catanduva-SP

www.**petit**.com.br | petit@petit.com.br
www.**boanova**.net | boanova@boanova.net

- 17 3531.4444
- 17 99777.7413
- @boanovaed
- boanovaed
- boanovaeditora